Sommaire

Illustrations
Laurine Spehner : 7, 33, 55, 69, 85
Michael Jo Peter : 29
Myriam Greenwald : 75, 113
Suzanne Morel : 121

Steve Bolduc est né en 1978 à Sherbrooke. Passionné très tôt par tout ce qui est art visuel, il commence par recréer les pochettes de CD de ses groupes favoris (Iron Maiden, Megadeath…), puis développe un fort intérêt pour le macabre, ce qui l'amène à s'intéresser à des artistes comme Dali, Giger et Helnwein. Autodidacte, Steve Bolduc expose pour la première fois à la Maison de la culture de Bromptonville ; ses œuvres surréalistes choquantes contrastent avec les expositions qu'on y présente d'habitude. Après avoir travaillé pour diverses entreprises, il devient peintre illustrateur à plein temps. Il a réalisé ces dernières années plusieurs couvertures pour nombre de périodiques et éditeurs québécois.

Solaris 168 en ligne
www.revue-solaris.com

Prix Solaris 2009

Le Prix Solaris s'adresse aux auteurs de nouvelles canadiens qui écrivent en français, dans les domaines de la science-fiction, du fantastique et de la fantasy

Dispositions générales

Les textes doivent être inédits et avoir un maximum de 7 500 mots (45 000 signes). Ces derniers doivent être envoyés en trois exemplaires (des copies car les originaux ne seront pas rendus). Afin de préserver l'anonymat du processus de sélection, ils ne doivent pas être signés mais être identifiés sur une feuille à part portant le titre de la nouvelle ainsi que le nom et l'adresse complète de l'auteur, le tout glissé dans une enveloppe scellée. On n'accepte qu'un seul texte par auteur.

Les textes doivent parvenir à la rédaction de **Solaris**, au C.P. 85700, succ. Beauport, Québec (Québec) G1E 6Y6 et être identifiés sur l'enveloppe par la mention « Prix Solaris ».

La date limite pour les envois est le 20 mars 2009, le cachet de la poste faisant foi.

Le lauréat ou la lauréate recevra une bourse en argent de 1000 $. L'œuvre primée sera publiée dans **Solaris** en 2009.

Les gagnants (première place) des prix Solaris des deux dernières années, ainsi que les membres de la direction littéraire de **Solaris,** ne sont pas admissibles.

Le jury, formé de spécialistes, sera réuni par la rédaction de **Solaris**. Il aura le droit de ne pas accorder le prix si la participation est trop faible ou si aucune œuvre ne lui paraît digne de mérite. La participation au concours signifie l'acceptation du présent règlement.

Pour tout renseignement supplémentaire ou pour obtenir des copies du règlement, contacter la rédaction.

Rédacteur en chef: Joël Champetier

Éditeur: Jean Pettigrew

Direction littéraire: Joël Champetier, Jean Pettigrew, Daniel Sernine et Élisabeth Vonarburg

Site Internet: www.revue-solaris.com

Webmestre: Christian Sauvé

Abonnements: voir formulaire en page 7

Publicité: Pascale Raud
solaris@revue-solaris.com
(418) 525-6890

Trimestriel: ISSN 0709-8863

Solaris est membre de la SODEP (Société de développement des périodiques culturels québécois).

Solaris est une revue publiée quatre fois par année par les Publications bénévoles des littératures de l'imaginaire du Québec inc. Fondée en 1974 par Norbert Spehner, **Solaris** est la première revue de science-fiction et de fantastique en français en Amérique du Nord.

Solaris reçoit des subventions du Conseil des arts du Canada, du Conseil des arts et des lettres du Québec et reconnaît l'aide financière accordée par le gouvernement du Canada pour ses coûts de production et dépenses rédactionnelles par l'entremise du Fonds du Canada pour les magazines.

Toute reproduction est interdite à moins d'entente spécifique avec les auteurs et la rédaction. Les collaborateurs sont responsables de leurs opinions qui ne reflètent pas nécessairement celles de la rédaction.

Dépôt légal à la Bibliothèque nationale du Québec
Dépôt légal à la Bibliothèque nationale du Canada

Date d'impression: septembre 2008

Éditorial

Certains numéros de **Solaris** sont consacrés à une thématique. C'était évidemment le cas de notre édition précédente, un spécial de 208 pages inspiré par les célébrations du 400ᵉ anniversaire de la fondation de Québec. Mais, plus souvent qu'autrement, le sommaire est éclectique, ce qui est assez normal quand on constate à quel point ces genres dits « de l'imaginaire », la science-fiction, le fantastique, la fantasy, avec tous leurs métissages, leurs variantes et leurs permutations, sont riches et diversifiés.

Éclectique, donc, est le qualificatif pour décrire ce cent soixante-huitième numéro. À tout seigneur tout honneur : il commence avec la nouvelle lauréate du Prix Solaris 2008, sous la plume d'Alexandre Babeanu. Trois jeunes auteurs font leur entrée au sommaire des fictions – ce qui ne signifie pas que leur nom soit inconnu de nos fidèles lecteurs. C'est assurément le cas de Pascale Raud, coordonnatrice de la revue et rédactrice de la chronique « Sur les rayons de l'imaginaire », qui écrit aussi, et fort joliment d'ailleurs comme en témoigne sa première fiction publiée. Philippe-Aubert Côté, qui avait cosigné la chronique de notre Futurible (« Les Enfants de Frankenstein », **Solaris** 166), publie aussi sa première nouvelle dans nos pages – en fait, ses *deux* premières nouvelles, puisqu'il a eu l'ingénieuse idée de remporter le concours d'écriture sur place à Boréal 2008 alors qu'un de ses textes avait été accepté pour publication. Il nous fait également plaisir d'accueillir Ariane Gélinas, une autre de ces dynamiques représentantes de la relève, qui s'implique aussi dans le fanzine **Brins d'éternité**.

Comparés à toute cette relève, nos invités « étrangers » sont trois « vieux pros ». Ce sont des guillemets d'ironie : ni Sylvie Bérard, ni André-François Ruaud, ni Claude Lalumière ne sont très vieux d'une part, et d'autre part ce sont des étrangers plutôt familiers. La première vit en Ontario mais publie chez Alire et dans **Solaris** ; le second vit en France mais est un des éditeurs de l'Hexagone le plus sympathique à la SFQ ; quant au troisième, il habite Montréal, où il fait carrière dans une langue pas trop étrangère – l'anglais ! –, à la fois comme auteur et éditeur.

Par ailleurs, il s'est développé une sorte de rituel au sein de l'équipe au sujet des chroniques de notre Futurible Mario Tessier. Comme je suis le premier à la lire, les autres me demandent si c'est une bonne chronique. J'ai si souvent répondu « C'est sa meilleure à vie, il s'est surpassé » qu'on a fini par reconnaître le motif et s'en amuser. Ainsi, lorsqu'on m'a demandé ce que je pensais de ses 15 expériences de SF à reproduire à la maison, j'ai donc répondu avec un clin d'œil que c'était sa meilleure chronique à vie, qu'il s'était encore surpassé. (Et comme toutes les autres fois, j'étais absolument sincère.)

Le temps file : j'ai juste le temps de remercier Steve Bolduc pour une autre couverture… comment dire… mémorable, et de vous inviter à aller lire dans le volet PDF de ce numéro et sur notre site Internet deux reportages – celui d'Élisabeth Vonarburg sur Les Imaginales 2008 et celui de Louise Alain sur la *worldcon* Denvention 3 –, une façon de rappeler que le compte à rebours pour Anticipation, le congrès mondial de la science-fiction qui se déroulera à Montréal en 2009, est officiellement commencé. L'équipe de **Solaris** sera présente ; pourquoi pas vous ?

Joël CHAMPETIER

Anticipation
Le 67ᵉ Congrès mondial de science-fiction

Élisabeth Vonarburg – Invitée d'honneur
Neil Gaiman – Invité d'honneur
Taral Wayne – Fan Invité d'honneur
David Hartwell – Rédacteur Invité d'honneur
Tom Doherty – Éditeur Invité d'honneur
Julie Czerneda – Maître de cérémonie

Du 6 au 10 août 2009
Palais des congrès de Montréal

Contactez-nous
C.P. 105, Succursale NDG, Montréal, QC, Canada H4A 3P4
info@anticipationsf.ca - www.anticipationsf.ca

Prix Solaris 2008 : Lauréat

L'Évasion

par **Alexandre BABEANU**

Laurine Spehner

1. Seul dans la ville

— Administrateur, es-tu là ?

— Oui, Martin, je suis là.

— Ouvre mon journal et donne-moi la liste des tentatives de connexion à mon domaine.

— Ton fichier journal est vide, Martin, répondit l'administrateur de sa voix douce et posée. Personne n'a essayé de se connecter à ton domaine.

— Donne-moi la liste des requêtes portant sur mes données.

L'Administrateur marqua une brève pause avant de répondre.

— Aucune, Martin, la liste est vide. Personne n'a accédé à tes données.

Martin fit un pas et regarda autour de lui, résigné. Personne. La rue s'étalait à perte de vue, vide, rectiligne, irréelle. Il discernait parfaitement chacun de ses plus infimes détails. Ici, une tache de rouille sur une gouttière séculaire ; là, dans cette ruelle transversale, l'auréole foncée et malodorante d'une vieille flaque d'urine évaporée ; ici encore, la fissure profonde courant le long de la porte d'entrée de cet immeuble cossu de Paris. Toutes ces images d'un autre âge se mêlaient sur ses rétines en un maelström de gris ternes et poussiéreux. En voyant ces immeubles haussmanniens, ces passages piétonniers peints à même le bitume et ces lampadaires au sodium perçant la nuit de leur lueur orangée, il fut pris d'une étrange nostalgie pour une époque qu'il n'avait pas connue.

Il était au milieu de sa rue Ordener. Celle-ci s'étendait d'est en ouest, coupant le XVIIIᵉ arrondissement en deux parties égales. Il avait reconstruit Paris grâce aux nombreuses archives stockées dans les diverses bibliothèques virtuelles qu'on avait bien voulu le laisser consulter. Pas le Paris actuel. Non. Celui d'avant les bombes, les émeutes et les mégapoles, le Paris qui vivait encore du souffle de son passé et qui se plaisait à livrer ses mystères à qui savait regarder.

À sa droite, au carrefour, la mairie du XVIIIᵉ arrondissement trônait au milieu de la place Jules Joffrin, déchirant la nuit informatique de mille lueurs ornementales. La place était vide. Il y manquait la sarabande coutumière et interminable de camions et de voitures mêlés à toute heure, les piétons vaquant devant les vitrines des magasins, les fêtards se ruant tant bien que mal vers la bouche de métro la plus proche pour attraper le dernier train. Il ne voyait que le tissu sans âme de la trame numérique qu'il avait tissée.

Il sortit de la poche gauche de sa tunique un plan plié de sa ville et l'ouvrit en grand devant lui. Son Paris occupait toute la surface de l'île virtuelle qui représentait son domaine informatique, grain de poussière perdu au sein du monde virtuel tentaculaire du SolarWeb. Sur la carte, au Nord, un petit point bleu brillait. C'était lui, sa position exacte. Aucun autre point ne luisait : il était seul dans tout Paris. Avec un soupir, il replia la carte et la rangea dans sa poche, puis se mit en marche, tranquillement, vers l'entrée de métro voisine.

✦

Martin était debout sur le quai, station Jules Joffrin, direction Mairie d'Issy, plein Sud, et attendait son métro. Il voulait rentrer chez lui, dans son antre, station Haxo, une station fantôme à laquelle le métro accédait alors par une voie de garage. Depuis Jules Joffrin, il lui faudrait donc changer deux fois de ligne.

Il regarda sa montre : 23 h 22. Il avait encore largement le temps jusqu'au dernier métro ; encore quelques minutes et sa rame allait arriver. Le silence qui régnait sur les quais trop propres de la station l'oppressait, lui rappelant sans cesse son isolement. Un long soupir affecté lui échappa, le désespoir dont il était victime quotidiennement commençait à le tenailler de nouveau. Il mit la main à sa poche et en sortit un petit sachet de poudre blanche, son unique remède pour ces crises de déprime intense. Il regarda le sachet un instant. La poudre était fine, on aurait dit de la farine. Il avait créé le mélange lui-même, un programme complexe qu'il avait nommé « zen », une poudre à bonheur, son dernier rempart face à la folie. À chaque inhalation, il se sentait soulagé du poids implacable de la tristesse, il baignait alors dans un bonheur béat et réparateur, pour un temps au moins. Il en usait tous les jours et s'en sentait bien mieux.

Au moment précis où il portait le sachet à son nez, Martin entendit un bruit singulier venant du quai opposé.

Un bruit de pas.

Les pas s'approchaient, lentement. Ils provenaient du couloir reliant le quai d'en face à la salle des tourniquets de compostage des tickets, juste au-dessus de la voûte surplombant les rails.

Les pas s'engageaient maintenant sur les marches menant au quai. Quelques instants encore et le marcheur déboucherait dans la vaste salle souterraine.

Martin retira rapidement son plan de sa poche et le déplia à nouveau. Un point bleu unique scintillait. Il était seul. Personne n'avait pénétré son île. Il replia donc la carte, et ses yeux hagards se portèrent encore une fois sur le quai opposé. Une minute passa, soixante pas très exactement, avant que n'émerge une forme noire du boyau béant numérique.

Une jeune femme venait d'entrer dans son univers.

Elle avança lentement sur le quai lui faisant face et s'arrêta à la limite des rails.

Ses yeux couleur de tempête fixaient calmement Martin, ses longs cils papillonnant doucement sous des cheveux de jais. Elle avait une peau d'albâtre presque statuaire et ses lèvres rouge sang semblaient promettre mille délices ou mille morts, selon leur courbure. Elle portait un long manteau de feutre noir qui dissimulait entièrement sa silhouette.

Martin ne savait trop que faire. Cette femme ne pouvait pas être là. Une impossibilité, un illogisme.

Il regarda machinalement à droite, puis à gauche, comme pour trouver un autre témoin de cette anomalie, mais son regard revint vers l'apparition, comme attiré par un aimant.

Quand les yeux de Martin furent plongés dans les siens, la jeune femme lui souffla :

— Je te connais…

10. Une inconnue

À la sortie du métro Saint-Fargeau, dans le XXᵉ arrondissement, il y avait alors un café appelé simplement *Le Saint-Fargeau*. Il s'était créé là une petite place qui était un véritable havre de vie perdu dans un labyrinthe de ruelles mornes.

Martin était accoudé au comptoir, client unique d'un établissement pourtant impeccable. Il sirotait nonchalamment une demi-pression tout en lisant les fichiers journaux de son domaine, les *logs* de la veille, alignés sur son moniteur. Tout y était consigné en bonne et due forme par l'Administrateur lui-même, une intelligence artificielle pointilleuse qui veillait patiemment sur les détenus numériques peuplant le monde virtuel carcéral de l'astéroïde pénitentiaire B.

Martin n'avait eu aucun mal à localiser les lignes qui l'intéressaient.

01/24/85 23:22:02.0.0.0.1 Accès Horloge.

01/24/85 23:26:15.0.0.0.1 Accès Carte Interactive.

Puis aucune entrée jusqu'à :

01/24/85 23:31:07.0.0.0.1 Objet RameMetro instancié.

Le log l'informait que la veille au soir, le métro était arrivé à la station Jules Joffrin apparemment à 23 h 31, donc à peu près au moment de l'arrivée de la jeune inconnue. Poussé par l'instinct, Martin y était monté. La rame l'avait alors emporté loin de la station et de l'apparition.

Le log ne contenait aucune référence à la jeune femme. Questionné à son sujet, l'Administrateur faisait la sourde oreille. Selon lui, même si Martin n'avait fait que rêver à l'inconnue, le système en aurait gardé une trace, un rêve n'étant qu'une succession de bits calculés par l'Administrateur. Or les journaux étaient formels, ce rêve n'existait pas.

Martin but une longue gorgée de bière et regarda la rue vide. Comment la retrouver maintenant ? Paris était un monde, et lui une infime poussière en son sein…

Le crépuscule avait quelque chose de lugubre, le silence et la pluie automnale y ajoutaient leur part. Construire Paris l'avait occupé des années durant, mais maintenant que son œuvre était accomplie, que lui restait-il à faire sinon à la contempler, seul ?

D'une pensée, il ferma les journaux. Il en avait assez, assez d'y penser, assez de ce monde froid, assez de cette prison. Il voulait sortir de son domaine, se jeter dans la foule, prendre un bain d'humanité. Il voulait aimer, il voulait qu'on l'aime. Il voulait hurler, mais surtout il voulait qu'on l'entende ! Il ressentait plus que tout autre l'insignifiance de sa vie. Il n'était rien au fond, un simple programme calculé par les méandres silicieux d'un cerveau artificiel. Il n'était qu'un rêve d'ordinateur.

Son corps, son vrai corps d'homme, était-il encore là au moins ? N'était-il pas mort depuis tout ce temps ? Il se revoyait, sanglé sur la couche froide au milieu d'une caverne profonde creusée dans le roc de l'astéroïde B, des tuyaux connectés à ses veines pour alimenter son corps alors qu'une longue paille aspirait doucement sa conscience vers le module pénitencier du SolarWeb. Il végétait depuis dans ce domaine carcéral, prisonnier du pare-feu qui l'empêchait de sortir, torturé par cette solitude inexorable à laquelle on l'avait condamné. Son corps reposait-il toujours sur cette étagère grotesque, au milieu des centaines de condamnés subissant le même sort ?

Il commençait à ressentir le besoin de prendre du zen, cette démangeaison ardente qu'était l'appel du bonheur facile. Mais il hésitait à s'en servir, pour essayer peut-être de résister, pour une

fois? Il tenta de s'extraire de cette rêverie cauchemardesque en
se remémorant l'unique soleil de sa vie. Il saisit ce souvenir
comme on attrape une pierre précieuse, et y attacha sa conscience.
Il revoyait la scène comme s'il y était encore, cette scène rassu-
rante de sa vie passée…

◆

Il est dans la maternité, devant le lit. Sélène y est allongée et
tient un petit être luisant, fripé et hurlant entre ses mains. Sa fille,
Clémence, crie de toute la force de ses poumons neufs. Le bonheur
l'assaille, des larmes se déversent sur ses joues. À cet instant
précis, il n'est plus rien, ce petit être neuf est tout. Le soleil brille
d'un éclat nouveau, alors que sa vie s'estompe et laisse place à
quelque chose de pur, de cristallin : un amour vierge et infini qui
lui remplit la poitrine et allège son âme. Il soupire et va se placer
à côté de sa femme, pour toucher lui aussi cette merveille qui
vient de naître.

Il profite de son mois de congé parental comme jamais il n'avait
profité de son temps. Il change les couches, berce, câline, chante
et s'émerveille. Il en oublie son travail, son stress, ses projets. Il
est bien, il a une famille, il ne pense même plus à sortir ni à
boire. Il n'a besoin de rien, il n'a plus de vice. Il est bien. Bien.
Bien.

Mais le temps passe, inexorable. Il lui faut retourner au travail,
se replonger dans les lignes de code pour nourrir sa famille. Le
cauchemar recommence. Il se retrouve dans son bureau cubique
d'informaticien bien plus vite qu'il ne l'aurait jamais cru possible.
Les échéances se rapprochent, la machine professionnelle doit
tourner. Il code alors qu'il aurait voulu poudrer. Le stress le reprend,
car on lui demande de programmer une partie de ces mêmes
modules de surveillance que l'on implante dans le nouvel organe
de Kuhn de tous les nourrissons, comme celui qu'on avait implanté dans sa fille. Un monde bien brave, régulé par la surveillance constante de ses propres organes.

La colère le reprend, la frustration, la haine même. Les échéances
approchent, il doit coder, plus, toujours plus, vite, toujours plus
vite. Et Clémence ?

Un soir, une nuit plutôt, il sort du bureau, beaucoup trop tard,
comme d'habitude. Il fait froid, c'est le mois de décembre, il a

sa parka et son foulard. Dans sa poche gauche, un paquet de Regent's filtres, dans la droite, une boîte d'allumettes. Derrière lui, les tours besogneuses où il perd ses jours, devant lui, à côté de la gare de train rapide, une station-service est illuminée. Sans penser à rien, victime d'une pulsion insensée, il y pénètre et achète un bidon d'organol.

Une fois ressorti, il laisse la station de train de La Défense derrière lui et retourne vers la tour de bureaux dans laquelle il est employé. Il sort le passe de sa poche et ouvre la lourde porte d'accès. Sous ses pieds, un épais tapis aux couleurs criardes absorbe ses pas. Le silence est pesant et seules quelques lumières éparses éclairent encore le hall d'entrée à cette heure tardive.

Il se dirige instinctivement vers les ascenseurs, pénètre dans une des cabines et appuie sur le bouton du dix-septième étage. Une petite musique tente de le bercer mais ne fait qu'accentuer sa colère. Il ne pense à rien, consumé par le désespoir, par la fureur de voir sa vie s'écouler devant lui sans pouvoir passer le temps qui lui reste avec ceux qui lui donnent un sens.

La porte de l'ascenseur s'ouvre. Il sort de la cabine et tourne à droite dans le couloir. Il arrive bientôt à la porte d'accès aux bureaux, qu'il ouvre à l'aide de son passe. Il surgit bientôt au milieu des bureaux cubiques et s'arrête un instant. Il écoute le calme alentour, personne. Il voit la nuit à travers les vitres du gratte-ciel, tout a l'air si serein, si apaisant, qu'il en vient à se demander s'il n'est pas en train de rêver. Il se remet pourtant en route et trouve rapidement son propre cube. Il dévisse le bouchon du bidon et verse l'organol sur son bureau. Il recule ensuite et vide le liquide au hasard des couloirs. Il regarde une dernière fois autour de lui et sort sa boîte d'allumettes…

◆

Le lendemain, il se retrouve en orbite autour de la Terre dans une bulle anti-gravité pénitentiaire, les mains menottées derrière son dos. Deux jours plus tard, il file vers la ceinture d'astéroïdes, porté par le vent solaire. Après trois semaines de périple, on le sangle et on le débarque sur l'astéroïde pénitentiaire B. Une heure plus tard, les tubes percent ses bras…

11. Sans solution

Il avait décidé de se promener dans son XIVe arrondissement pour tenter de dissiper la brume qui l'envahissait toujours à la fin d'un trip de zen. C'est ainsi qu'en sortant du métro Plaisance, il l'aperçut pour la seconde fois. Elle traversait la rue d'Alesia vers le nord et allait s'engager dans la rue Raymond-Losserand. En la voyant ainsi, déambulant nonchalamment dans les rues numériques de sa ville, Martin ne sut d'abord que faire. Il n'était pas prêt, il n'y avait pas encore vraiment pensé. Il traversa tout de même la rue et commença à la suivre, sans vraiment s'efforcer de se dissimuler, sans même y réfléchir, happé par son sillage.

Où pouvait-elle bien aller ?

Elle marcha encore quelque temps vers le nord, fit quelques zigzags dans les ruelles plus ou moins vétustes de Montparnasse, puis déboucha finalement sur une large place.

Là, elle fit une brève pause, puis poussa la porte d'une agence de voyages. L'enseigne de l'agence clignotait, on pouvait y lire « Allers-Simples voyages ».

Martin, sur les pas de la jeune femme, vit un bout du manteau noir disparaître sous l'enseigne. Il s'y rendit rapidement et s'arrêta devant la vitrine couverte d'annonces et de publicités diverses.

Escaladez les Rocheuses !

Les plages des Canaries…

Découvrez les fjords, voguez en Finlande !

Et sous chaque slogan, des images exaltaient la beauté de la destination en question.

Il était abasourdi. Il n'avait pas créé cela. Ce n'était pas son œuvre. Il connaissait pourtant tout le décor alentour, le trottoir, les gouttières, la forme des colonnes ceinturant la place, il avait dû s'attarder sur chaque détail. Il en avait eu largement le temps…

Mais cette agence n'aurait pas dû exister.

La fille au noir manteau était là, de l'autre côté de la vitre. Elle enleva son sombre pardessus, découvrant un uniforme aux couleurs de l'agence, puis elle posa une petite casquette sur sa tête. On pouvait y lire : « Demandez-moi ! » Elle passa derrière le comptoir et s'assit sur une chaise haute. Elle releva alors la tête et regarda dehors.

Elle vit Martin et, lentement, lui sourit.

Il poussa la porte et entra dans l'antre de la jeune femme, tel un automate.

— Bonjour, dit-elle d'une voix enjouée.

Il la regarda un long moment, le regard et le cerveau vides, ne sachant comment se comporter.

— Bonjour, finit-il par répondre d'une voix faible.

Elle le regarda un instant, sembla hausser les épaules, se retourna et disparut dans une pièce adjacente.

Il pénétra plus profondément dans l'agence en regardant les murs tapissés de prospectus divers, d'affiches et de publicités criardes. Il saisit un catalogue et en feuilleta les pages. La texture du papier glacé était magnifiquement rendue. Il se prit à rêver à ces destinations qu'il voyait représentées comme des archétypes, des images qu'il n'avait pas vues depuis une éternité… Il en était à lire un paragraphe d'introduction sur la ville de Barcelone lorsque la jeune employée retourna se poster derrière le comptoir, un café fumant à la main.

— Souhaites-tu partir en vacances, Martin ? demanda-t-elle calmement, brisant le silence épais qui régnait jusque-là.

— C'est que… oui… enfin, bien sûr, parvint-il à balbutier.

— Ah, c'est parfait alors, tu es au bon endroit !

Elle l'éblouit alors d'un sourire radieux.

Il inspira longuement, toussota, puis s'avança devant le comptoir.

— On dirait bien, oui. Voilà, alors j'aimerais aller à Barcelone.

Il lui présenta le catalogue qu'il tenait encore en main, comme pour expliquer ses paroles, l'index posé sur une photo du parc Güell de Gaudi.

— C'est que, Martin, vois-tu, comme l'indique le nom de l'agence, nous ne proposons que des allers simples…

— Oui, oui. J'ai bien vu, et justement ! Enfin, ça tombe bien…

Elle le regarda alors dans les yeux, et ses prunelles soudainement abyssales avalèrent son regard d'une goulée hâtive. Son sourire se fit ironique, et ses iris noircirent en un instant. Son visage d'abord angélique devint soudainement cruel, en une transformation subtile et rapide qui causa à Martin un long frisson. Il fit un pas en arrière. Le regardant d'un air diabolique, elle demanda :

— Et comment vas-tu payer ton voyage, Martin ?

✦

Ce ne fut que bien plus tard, confortablement allongé sur son canapé, station Haxo, qu'il réalisa l'impact que cette conversation avait eu sur lui. Le ricanement de la jeune femme résonnait encore dans sa tête. Elle lui avait expliqué qu'elle était une IA, un daemon du système d'exploitation, au même titre que l'Administrateur. Ce dernier ne pouvait cependant pas la voir, car elle avait plus de privilèges et souhaitait lui être invisible.

— Je suis désolée de t'apprendre qu'il ne te reste que trois semaines à vivre, Martin, avait-elle ajouté sur un ton qui était tout sauf compatissant.

Trois semaines. C'était le temps qu'il restait à son corps meurtri avant de flancher. Son cœur fatigué allait s'arrêter dans vingt et un petits jours. Elle le lui avait garanti, c'était même la raison de sa présence dans son domaine. Sanglé dans son sarcophage de survie au sein des méandres caverneux de l'astéroïde B, son corps aux muscles atrophiés, immobile et sale, était maintenu en vie grâce à un appareillage vétuste et mal entretenu.

Martin n'en croyait bien sûr pas un mot. Elle aurait pu dire n'importe quoi. Mais qu'est-ce que cela changeait, au fond ? Son corps de chair et de sang était à la merci de ses geôliers robotiques, ils pouvaient le tuer n'importe quand. Il n'aurait même pas été étonné d'apprendre qu'il n'était maintenant plus qu'une Intelligence Artificielle, après tout ce temps… Il était certainement moins coûteux de « faire tourner » sa conscience numérisée sur une machine enterrée quelque part que de maintenir un corps en vie au fin fond d'un astéroïde. Comment savoir ?

La jeune femme lui apprit également que les instances pénitentiaires voulaient transformer son Paris, celui qu'il avait construit de toutes pièces, en grand parc d'attractions virtuel, et qu'ils allaient l'ouvrir au reste du SolarWeb. Après tout, ils n'allaient pas jeter une œuvre aussi monumentale à la poubelle !

Cependant… Il y avait quelques petits détails qui ne les satisfaisaient pas encore tout à fait. C'est pourquoi on le pressait maintenant de parfaire son œuvre avant de mourir, en lui présentant une liste de correctifs et d'éléments à ajouter.

— Je peux refuser, avait-il dit.

— Et pourquoi ? avait-elle répondu d'un air étonné. Nous sommes généreux. Nous te garantissons le rapatriement de ton corps, pour que ta veuve et ta fille puissent t'enterrer dignement, sur Terre. Que veux-tu de plus ? Imagine le coût du voyage… Tu pourrais même être enterré à Barcelone. C'est ce que tu voulais, non ?

Un aller simple, en effet ! Quel humour ! Même vu comme ça, qu'y gagnerait-il au fond ? Sa fille Clémence ne le connaissait pas, et Sélène, sa femme, l'avait sans doute oublié dans les bras d'un autre. Cette pensée lui déchirait le cœur, mais cela serait normal… Non, ce qui l'avait décidé, c'est qu'il ne voulait pas se laisser faire. Il voulait gagner du temps et trouver un moyen de s'en sortir.

Martin déplia la liste des mises à jour qu'on lui demandait d'effectuer et se mit à la relire avec attention. Il fallait élargir les zones rouges, place Pigalle surtout, ajouter plus de clubs, de gangs, plus de spectacles et de paillettes, du strass, du sang et du sexe, tout bêtement. Sa ville était trop proprette, ennuyeuse, il ne s'y passait rien, c'était un musée alors qu'on voulait des montagnes russes.

Il s'imaginait l'argent des visiteurs futurs de sa ville, voguant inexorablement dans le SolarWeb, nuage titanesque et vaporeux de bits filant à la vitesse de la lumière d'un compte à l'autre. Il se représentait également les cerveaux de l'Humanité, connectés à la toile, pris en charge entièrement, corps et âme, enchaînés de leur propre chef à ce mirage régulé, accrocs au spectacle grandeur nature, volontaires à la seule condition qu'on les amuse. Contrôler les pensées, la vie et l'argent du peuple, que pouvait-on désirer de plus ? N'était-ce pas là le pouvoir absolu ?

Son Paris ne serait qu'une halte dans la toile du SolarWeb, il le savait bien. Combien d'autres lieux de perdition existait-il ? Suffisamment pour tenir la masse amusée, bien entendu… C'était vraiment très simple, au fond. Qui ne pense pas oublie.

Il sortit un sachet de zen du tiroir de sa table basse et en aligna un long rail qu'il sniffa avidement. Ses muscles se relâchèrent bientôt un à un. Une douce torpeur commença à bercer son âme et à la tirer vers des rivages où tout n'était que bonheur. Il se mit à rire.

100. Quand le dormeur s'éveillera

Martin avait besoin d'air, une fois encore. Il était sorti de chez lui et marchait le long des quais de la Seine. Le quai Voltaire s'ouvrait devant lui, mais il n'y prêta que peu d'attention, préoccupé par son problème majeur : comment survivre ? Il lui semblait clair maintenant qu'il lui fallait commencer par s'évader. Ça oui. Mais de quelle manière ?

Il doutait de plus en plus que son corps, son vrai corps de chair et de son sang, soit encore en vie. Toute cette histoire d'astéroïde pénitentiaire était-elle vraiment crédible ? Si son corps était réellement maintenu en vie quelque part, il ne servait sans doute à rien de se débattre, il mourrait de toute façon. Si par contre il était devenu une conscience numérisée, alors il pouvait encore espérer s'enfuir de sa prison et se perdre dans le flot tumultueux du SolarWeb, une IA parmi tant d'autres. La technique de numérisation, à l'époque où il était encore libre, n'en était qu'à ses balbutiements, un procédé destructeur qui brûlait irrémédiablement les neurones du patient au moment du transfert. Mais si on ne souhaitait pas ranimer le corps, était-ce réellement un problème ?

Il pénétra bientôt sur la place Saint-Michel. Un tourbillon glacial y soufflait, balayant le trottoir immaculé. L'archange de bronze de la fontaine s'appuyait toujours sur le diable qu'il venait de vaincre la seconde d'auparavant, victorieux depuis des siècles.

Martin poursuivit sa marche et arriva bientôt devant un petit café-restaurant appelé *Le clou de Paris*. Malgré la température et l'humidité automnales, la jeune femme au noir manteau y était assise en terrasse et dégustait nonchalamment un espresso en le regardant arriver. Surpris mais non décontenancé, il se dirigea droit vers elle, happé malgré lui par le regard de l'intruse. Arrivé à la table, il s'assit devant elle avec résignation.

— Martin, quel heureux hasard !

— Épargnez-moi vos moqueries, répondit sèchement Martin. Je vois bien que ça vous amuse énormément de vous foutre de ma gueule !

— Ne sois pas vulgaire, s'il te plaît. Dans un endroit aussi romantique, ça gâche l'atmosphère, tu ne trouves pas ?

Il poussa un long soupir et observa la rue en essayant de calmer son irritation. Prenant son silence pour un acquiescement, elle but une gorgée de café, puis poursuivit :

— Martin, tu n'as pas encore commencé les travaux que nous t'avons commandés. Je pense que tu te fiches de nous. Il nous est possible, bien entendu, de rajouter ces petits détails nous-mêmes. Mais comme nous sommes justes et généreux, nous préférons que tu termines ton œuvre. Après tout, tu dois prendre plaisir à y travailler, non ?

C'est ça.

Il ne répondit rien, attendant la charge, stoïque.

— Bon. Mon message est clair, ceci est ta dernière chance. Use bien de tes derniers jours !

J'y compte bien !

Elle reposa alors sa tasse dans sa soucoupe sur la table devant elle, puis disparut purement et simplement.

Il se leva alors et se mit en route, marchant au hasard pour analyser la situation. Il lui restait un peu plus de deux semaines. Quinze petits jours. Avait-il vraiment le temps de faire quoi que ce soit ? Il fallait qu'il arrête le zen, il fallait qu'il se concentre, qu'il trouve une solution. Vite.

Il regagna rapidement la place Saint-Michel et s'engouffra dans la bouche de métro la plus proche.

De retour chez lui, il alluma son moniteur et commença à programmer. On lui avait donné accès à une gigantesque base de données d'objets et de programmes divers qu'il lui suffisait de réutiliser. Il avait ainsi à sa disposition des immeubles clés-en-main, de la végétation, des morceaux d'automates, des sous-programmes de gestion de comportement, des banques d'odeurs et de sensations, et toute une panoplie de morceaux d'automates humanoïdes sophistiqués : des morceaux de *bots*. Il n'avait plus qu'à assembler les pièces.

Il passa ainsi plusieurs nuits à ajouter des lieux sordides ou violents, et une armée de *bots* pour interagir avec les futurs touristes. Ce ne fut que bien plus tard qu'il eut enfin une idée et que l'espoir lui revint…

Afin d'ajouter plus de réalisme à sa ville, il avait créé, des années auparavant, un petit programme qu'il avait nommé « Poussière ». Cet utilitaire effritait les objets auxquels il était appliqué, érodant lentement et inlassablement les immeubles, les statues et les monuments de sa capitale numérique. Il pouvait ainsi régler la grosseur des grains de poussière et la vitesse d'érosion. Son petit utilitaire numérotait même chaque grain de manière unique, au cas où il faudrait un jour retrouver les morceaux et reconstruire l'objet détérioré.

Martin avait ainsi assisté quelques mois plus tard à l'effondrement de certains de ses édifices, grignotés trop rapidement. Il lui avait donc fallu créer un autre programme : « Reconstructeur ». Cet utilitaire se contentait d'errer au hasard des rues et d'aspirer la poussière. Si celle-ci était numérotée, alors il la remettait en ordre, reconstruisant du même coup consciencieusement, grain par grain, les bâtiments affectés. Reconstructeur pouvait même faire des copies de lui-même, comme un virus, et créer ainsi une petite armée renifleuse de façon à accélérer le travail si nécessaire.

Il invoqua ainsi ses deux petits utilitaires ; il copia Poussière dans une petite boîte de plastique noir munie d'un gros bouton rouge. Il modifia ensuite légèrement Reconstructeur avant de le copier dans un sachet de zen, série de bits invisibles bien mélangés à la fine poudre blanche. Il glissa enfin ces objets dans la poche de son pardessus, puis, souriant, sortit de chez lui.

101. L'évasion

Debout sur la butte Montmartre, Martin contemplait son Paris avec fierté. La vue s'étendait en un large panorama sur tout le sud de la ville. À l'ouest, la tour Eiffel reluisait dans le soleil couchant. Plein sud, le Centre Pompidou et ses tuyaux artistico-industriels se dressaient comme une verrue sur la peau séculaire de la capitale. Mais son œil ne s'arrêtait pas aux détails architecturaux, ce qu'il observait, c'étaient les oiseaux.

Des nuées de pigeons volaient de toit en toit, insufflant à la ville cette âme qui lui manquait jusqu'alors. Derrière lui, une multitude de petits moineaux étaient affairés à débusquer des miettes infimes perdues dans les interstices des pavés du parvis du Sacré-Cœur. Un couple de corneilles craillaient dans le square avoisinant. Un goéland égaré cherchait en vain quelque nourriture sur les marches descendant la butte vers les jardins. Et partout en dessous de lui, errant dans les rues, il devinait l'agitation de ses bots, attendant les touristes, errant sur les boulevards, dans les venelles sombres, dans les bars…

Toute cette vie lui donnait espoir. Tout ce brassage d'air ajoutait du bruit dans sa ville, et des lignes dans les logs de son monde pénitentiaire. Si ses faits et gestes avaient jusque-là été faciles à tracer, seul objet mobile sur une mer de pierre, il devenait moins facile de les séparer de toute cette activité rampante et volante. Il sourit et décida de redescendre la butte Montmartre par la place du Tertre. Il se tourna donc vers la droite. Là, débouchant de la rue longeant le Sacré-Cœur, il vit un homme marcher droit vers lui.

L'homme était chauve, il portait une longue toge orange qui laissait paraître une épaule gauche dénudée. Il tenait avec sa main gauche l'un des pans de sa longue robe, et avec sa droite un plan de Paris que Martin devinait ouvert à la page du XVIII\e arrondissement. L'homme était visiblement un bonze, et il semblait perdu, absorbé par sa carte.

Martin ouvrit son propre plan de Paris, et vit qu'effectivement un autre petit point lumineux brillait non loin du sien. Surpris et décontenancé par l'apparition, il replia son plan et laissa l'inconnu approcher en étudiant son visage. Ses joues saillantes lui semblaient familières, il pensait avoir déjà vu ce visage-là, sans savoir cependant ni où ni quand. L'homme fut bientôt à quelques pas de lui, et il releva enfin la tête. C'est alors qu'il vit Martin.

— Martin ? C'est toi ?

Ce dernier ne répondit pas tout de suite, jaugeant la scène et essayant de déterminer s'il connaissait cet homme ou s'il était pris d'une nouvelle folie.

— Martin, insista le moine, c'est moi, c'est Dan. Tu ne me reconnais pas ?

Il y eut une pause qui sembla durer un âge.

— C'est moi, ton frère !

— Dan ?

Dan sourit de toutes ses dents puis enlaça son frère.

— Bon sang, ça fait du bien de te revoir !

— Dan, mais enfin… Qu'est-ce que tu fiches ici ?

— Mais ça se voit, non ? Je visite Paris !

Dan gloussa chaudement. Il regardait Martin de ses yeux rieurs en le tenant par les épaules, à bout de bras.

— Eh oui, Martin, je suis venu te rendre visite. Après toutes ces années, on m'a enfin permis de venir te voir !

— On ? Qui ça, « on » ?

— La police, les autorités quoi. Ils m'ont dit que c'était pour te récompenser de ton dur labeur. Ils m'ont aussi dit que tu allais bientôt… euh… enfin, disparaître. C'est vrai ça ?

Martin soupira profondément en regardant ses chaussures.

— C'est ce qu'ils m'ont dit aussi… Dan, mais c'est incroyable ! Alors tu viens de l'extérieur ? Où es-tu actuellement, enfin, ton corps ?

— Mais chez moi, bien sûr. Dans mon bureau…

— Oui, bien sûr… Un moment j'ai cru que tu pouvais être au pénitencier et que tu pouvais me voir… En vrai…

Dan ne dit rien un moment, puis il partagea avec Martin les dernières nouvelles. Il raconta comment leur père était mort deux ans auparavant, comment leur mère avait depuis été victime de la maladie d'Alzheimer et était sur une liste d'attente pour un implant. Il expliqua aussi comment Sélène, la femme de Martin, avait réussi à faire annuler son mariage et était récemment partie en voyage avec leur fille on ne savait trop où. Pour le reste, de nombreuses choses avaient changé, mais d'autres pas…

Son flot de paroles finit par se tarir. Après une brève pause passée à contempler le paysage parisien, Dan reprit :

— Tu sais que je pratique la méditation profonde maintenant ?

Martin regarda son frère. Le soleil couchant colorait sa peau de caramel et faisait briller ses yeux perdus dans le lointain. Martin ne dit rien, si bien que son frère continua.

— C'est aussi quelque chose que je voulais te dire, avant que tu… partes. Lors de ma dernière méditation, j'ai perdu tout contact avec mes sens, je suis arrivé à un endroit lumineux, très chaud, et là, ma sensation de bien-être était indescriptible. Tout ce qu'on raconte est vrai, Martin, et c'est un message d'espoir que je voulais t'apporter. Par-delà ce monde, tu peux atteindre le bonheur éternel. J'en suis sûr.

— Je vois. Tu es devenu un vrai mystique, on dirait… Je veux bien te croire. Mais dis-moi, Dan, et les IA alors ? Qu'est-ce qu'elles deviennent quand elles meurent ? Est-ce qu'elles ont droit au nirvana, elles aussi ?

— Les Intelligences Artificielles ? Eh bien, pourquoi pas ? Qu'est-ce qui empêcherait l'esprit de s'incarner dans un corps de silicone, et donc de s'en détacher à sa mort ? La chair et le sang ne sont que le véhicule, fait de matières premières également…

— Toute une théorie ! C'est pour ça que tu es devenu moine ?

Dan rit franchement.

— Tu veux parler de mon avatar? Oui, ça m'amuse de me déguiser comme ça. Mais je ne suis pas entré dans les ordres, pas du tout! Les bouddhistes me prendraient même pour un hérétique! Ça ne m'empêche pas de méditer. Non, ça, c'est ce que je crois, moi, affabulation ou non. Qui peut se vanter de connaître toute la vérité, de toute façon? Et ça m'aide à me préparer à ma propre mort.

— Si tu passes ta vie à préparer ta mort, alors ne vas-tu pas oublier de vivre?

— Peut-être, mais c'est quand on pense à la mort que la vie prend tout son sens…

Martin soupira en regardant le soleil couchant. Il huma un peu l'atmosphère, compta les pigeons posés sur les marches, puis se tourna vers son frère:

— Allons boire une bière.

◆

Assis au comptoir d'un bar de la place des Abbesses, ils sirotaient tranquillement leur demi-pression en papotant avec plaisir.

Martin regardait son frère et, profitant d'une pause dans la conversation, il se décida à sortir le petit paquet de zen qu'il avait préparé avant de sortir de chez lui, celui contenant son utilitaire reconstructeur. Il le posa sur le zinc. Dan regarda l'objet: du plastique transparent recouvrant une fine poudre blanche.

— La clé pour atteindre un bien-être indescriptible ici, et maintenant, tout de suite, expliqua Martin, poussant le petit sachet vers Dan de la pointe de son index.

Dan saisit le sachet, l'ouvrit et le porta suspicieusement à son nez.

— Qu'est-ce que c'est que ça?

— C'est mon héritage au monde! Un chef-d'œuvre, en toute modestie! Bien plus que ce Paris de pacotille autour de nous. Je l'ai inventé il y a bien longtemps, et peaufiné au cours des années. C'est le bonheur absolu ici, maintenant. De la poudre magique, une invitation au voyage… Enfin, c'est la seule chose qui m'a fait tenir ici, seul, pendant tout ce temps. Essaye. Tu verras, on va se l'arracher bientôt. C'est légal même, les autorités se frottent les mains d'avance en pensant aux profits qu'elles vont en tirer.

— C'est une drogue ?

— Ça dépend de ce que tu appelles une drogue. Je n'ai découvert aucun effet secondaire, pas de dépendance, rien.

— C'est toi qui le dis. Tu en es le seul cobaye, j'imagine ?

Martin regarda son frère dans les yeux et sourit avant de répondre.

— Bon, alors, tu l'essayes ?

Dan mit son nez dans le petit sachet et inspira un bon coup. Il ne ressentit rien.

— Cela va mettre quelques minutes à agir, expliqua Martin. Je vais t'expliquer brièvement ce qui va se passer, mais ne le répète pas, c'est un secret…

Martin fit un clin d'œil, puis but une longue gorgée de bière avant de poursuivre son exposé.

— Depuis Albert Ellis, au milieu des années 1950, on sait que la pensée précède toujours les émotions. On l'a même démontré. On est triste parce qu'un événement survient et qu'il est automatiquement évalué par notre système de valeurs morales, notre pensée, consciente ou non. Ce système nous est propre. Tu as le tien, j'ai le mien, si bien que le même événement est perçu différemment par toi ou par moi. Nos émotions sont le résultat de ce système de valeurs. Bon. Ma petite poudre, là, que j'ai simplement nommée « zen », court-circuite ton système de valeurs et y insère le sien. C'est tout simple quand on sait où placer le code. Le zen te fait prendre tout de manière positive, tout. Du coup, tant que le zen fait effet, tout te paraît merveilleux, génial, enivrant, fantastique, jouissif même, et j'en passe. C'est une drogue psychologique, si tu veux, pas du tout chimique. Plus tu en prends, plus longtemps ça dure. Quelques instants encore et je vais te voir sourire béatement ! Le zen va circuler dans tout Paris, dès qu'ils vont en ouvrir les portes, c'est prévu, ça fait partie de l'attraction. Et je pense même qu'il va faire un tabac dans tout le SolarWeb… ça leur rapportera énormément.

Il ne put alors s'empêcher de penser à ce qu'il cachait à son frère. Son petit programme reconstructeur, que Dan venait d'inhaler malgré lui mélangé au zen, allait imperceptiblement quitter l'avatar de son frère sous forme de transpiration, une fois que le simple temporisateur qu'il y avait ajouté se déclencherait. Cet événement se produirait bien après que Dan serait sorti de sa geôle parisienne. Une fois libre dans le SolarWeb, Reconstructeur allait commencer à errer au hasard, se dupliquant de temps en temps, cherchant la poussière numérotée inlassablement...

Dan reposa bientôt le sachet vide qu'il tenait encore dans sa main, puis se leva en titubant, un sourire radieux incrusté aux lèvres, ivre de bonheur. Martin se leva à son tour, enlaça son frère, l'embrassa, puis s'avança vers la sortie du café. Il se retourna sur le pas de la porte et regarda son frère, qui lui retourna son regard en riant.

Adieu, frérot...

Dehors, le vent frappa Martin en plein visage, l'enlaçant de ses doigts gelés. S'ils avaient permis à son frère de lui rendre visite, c'est que sa fin était proche. La conclusion arrivait, il en était persuadé. Il fallait qu'il se presse. Il s'engouffra à toute allure dans la bouche de métro de la place.

✦

Son usine de zen se situait dans une salle secrète cachée dans le dédale des salles souterraines du métro Châtelet-Les Halles. Le complexe de gares souterraines était le centre nerveux du réseau ferroviaire urbain, sept lignes s'y croisaient à différentes profondeurs, partant dans toutes les directions. Le réseau de salles, de couloirs, de coursives, d'ascenseurs, de sorties, d'escaliers, de remises et de voies de garage qui en résultait était un labyrinthe dans lequel on aurait pu facilement se perdre plusieurs jours. Au milieu de cet enchevêtrement de béton se situait une large salle voûtée au plafond haut et aux murs suintants. On aurait pu y installer un terrain de football, avec même de la place pour des tribunes.

Au centre de la salle s'élevait un tas de poudre blanche gigantesque posé sur un socle de métal argenté reluisant. Plusieurs bots étaient affairés le long d'une machine qui semblait sourdre de chaque côté du tas de poudre, le traversant de part en part, et qui longeait le centre de la salle jusqu'aux murs clôturant la grande caverne. Un tapis roulant glissait au milieu de cet appareil, sur lequel les robots déposaient de petits sachets qu'ils venaient de remplir de poudre qu'ils avaient puisée dans le tas central.

Un contremaître numérique surveillait patiemment la scène, assis derrière un pupitre garni d'un cadran et de deux gros boutons, l'un vert, l'autre rouge. Le cadran indiquait la masse du tas de zen. Chaque fois que le poids de poudre descendait sous un certain seuil, l'automate appuyait sur le bouton vert. Le tas était alors rapidement copié à l'identique, grain par grain, bit par bit, ce qui doublait du même coup la quantité de zen disponible.

Martin contempla le bon fonctionnement de son usine et se sentit rassuré. Aucun de ses automates ne faisait attention à lui. Il s'avança lentement vers le tas de zen.

Quelques pas, et c'est la fin.

Il atteignit bientôt le tas mais ne ralentit pas. Il poursuivit sa marche en écrasant les grains de poudre sous ses semelles. Quand il eut du zen jusqu'à la taille, alors seulement il s'arrêta. Le va-et-vient des machines se poursuivait autour de lui, froid, mécanique, prévisible. Les autorités n'allaient sans doute pas tarder à débarquer dans son antre, pour lui annoncer la fin de sa peine. À moins qu'elles se contentent d'appuyer sur un bouton ou peut-être simplement de débrancher un tuyau… Il n'avait pas l'intention d'attendre pour le découvrir.

Il sortit de la poche de son pantalon la petite boîte de plastique noir. Il la posa dans sa paume, le pouce droit posé sur le gros bouton rouge qui en dépassait. Il avait réglé Poussière pour une érosion fine et instantanée. Il prit une grande inspiration, regarda le plafond comme pour y chercher de l'aide, puis enclencha le bouton.

Une myriade de lignes noires et fines se dessinèrent alors d'un seul coup sur toute la surface de son corps, à l'intérieur de tous ses organes virtuels, dans son cerveau et sa mémoire. Chaque cellule du corps de Martin commença à se détacher des autres et à s'égrener lentement sur le tas de poudre. Ses mains devinrent bientôt poussière, ses jambes disparurent, son tronc, son visage se décomposèrent en millier de granules, chaque grain rejoignant le vaste tas de zen gisant au centre de son univers, chaque grain dûment numéroté par son petit utilitaire.

Lorsqu'il fut entièrement disparu, lorsque chaque bit de son être fut éparpillé sur le zen, un mélangeur énorme descendit du plafond et commença à brasser la mixture.

Peu à peu, bit par bit, lentement, très lentement, les automates commencèrent alors à empaqueter dans des sachets de plastique l'ensemble d'informations dont il était composé, mélangé au zen. Sa conscience était délicatement posée sur le long tapis roulant, morceau par morceau. Le tapis transporta chaque sachet vers les entrailles de sa ville, là où des bots vendeurs écouleraient sa drogue, avec la bénédiction policière. Partout, des nez avides allaient bientôt inhaler les particules de son être, et répandre ainsi aux quatre coins de la toile les poussières qu'étaient les bits numérotés composant sa personne...

Alexandre BABEANU

Né à Bucarest, en Roumanie, Alexandre Babeanu a grandi à Paris et habite maintenant Vancouver. Lorsqu'il ne s'occupe pas de ses deux charmants bambins, il programme pour le compte d'une grosse société informatique, il joue de la batterie dans un groupe de musique du monde, s'amuse à construire des montages de photos numériques, tient à jour quelques blogues, essaye de découvrir la recette de la vinaigrette idéale, pédale frénétiquement sur son vélo ou déambule dans la forêt humide, par jour de pluie de préférence. « La Longue Illusion » (**Solaris** 165) signait son entrée dans le monde littéraire.

Sa vie au bout du pinceau

par Philippe-Aubert CÔTÉ

MJP

À l'annonce du diagnostic, certains s'effondrent, tremblent ou pleurent. Ils voient leurs prochaines années comme s'ils les avaient déjà vécues: les souvenirs s'effacent, on oublie les gens, on oublie qui l'on est. On n'est plus personne, puis on sombre dans le vrai néant. Celui qui précédait la naissance. Inéluctable: avec la maladie d'Alzheimer, la tombe est la seule issue.

Il ne se laissera pas faire. Il n'a rien dit, n'a pas pleuré. Il est seulement retourné chez lui pour se réfugier dans l'endroit qu'il veut ne pas oublier parmi tous ceux de son présent et de son passé: son atelier.

Les murs gris, les tableaux, les chevalets… Son œuvre entière – sa vie – s'étend devant lui. Perdre la mémoire. Et le talent? Non! Comment l'éviter?

Il avise l'autoportrait sur le chevalet. Il effleure ses pinceaux du bout des doigts: voilà ses armes. Il va combattre la maladie en fixant son propre visage sur la toile. Il va forcer sa mémoire à se souvenir de son visage chaque semaine et peindre son propre portrait.

Il va entretenir sa mémoire avec son art et combattre la maladie avec ses seules armes: ses pinceaux.

◆

Il regarde les autoportraits des dernières semaines. De tableau en tableau, le visage se déforme, se disloque. Le nez commence à fusionner avec les yeux, les perspectives clochent…

La maladie gagne du terrain. Il ne parvient plus à reproduire correctement son visage. Non, pas son talent! Mes pinceaux, ne me trahissez pas!

◆

Il décide de changer d'exercice. D'alterner plutôt: faire son autoportrait n'est pas assez exigeant. Il doit en parallèle faire le portrait d'un autre, de quelqu'un qu'il croisera dans la rue et dont il devra s'exercer à garder le souvenir le plus longtemps possible. Pour le fixer sur la toile encore et encore.

Jusqu'à ce qu'il oublie ce nouveau visage. Il devra alors s'en trouver un autre.

◆

Il a trouvé un visage intéressant, dans le café où il aime, depuis vingt ans, griffonner les croquis de ses futurs tableaux. Une vieille dame, une habituée des lieux, s'est plainte qu'on lui a volé son portefeuille. Elle croit qu'on le lui a dérobé alors qu'elle a laissé son sac à main ouvert sur la chaise d'à côté. Elle a raconté des dizaines de fois tous les détails de ce vol hypothétique au gérant du café – qu'elle connaît bien – mais aussi au gardien de sécurité, au concierge, aux autres clients – qu'elle ne connaît pas. Elle en a profité pour leur déverser toute sa vie: son mari défunt, ses enfants – un médecin, une avocate, un comptable…

Il envie la mémoire de cette vieille. Une mémoire qui ne sert qu'à conserver les détails insignifiants d'une vie tout aussi insignifiante.

Une mémoire qui ne sert à rien. C'est lui qui devrait avoir une telle mémoire! Pas elle!

Elle fera un beau portrait en tout cas, se dit-il en regagnant l'atelier.

Il prend son pinceau préféré, regarde la toile vierge.

À l'attaque! Ou aux armes!

◆

Curieux.

Il compare ses trois derniers autoportraits. Puis compare les trois portraits de la vieille dame. Une semaine sépare chaque tableau.

Le visage de la dame change de tableau en tableau. Les oreilles s'agrandissent, le nez se casse, les yeux changent de hauteur... Tout s'effrite.

Son visage à lui se réajuste. Retrouve ses proportions. Les couleurs se rapprochent de celles de la réalité. Pas encore parfait... mais beaucoup mieux que dans ses essais précédents.

Ça marche peut-être. Exercer sa mémoire de la sorte freine la maladie. À défaut de la vaincre.

Il vendrait son âme pour guérir.

◆

Dans le café. Il dessine avec plus d'assurance dans son carnet à croquis. Son exercice avec les portraits lui fait du bien : il retrouve la maîtrise de sa main, déplace le crayon sur la feuille avec plus d'assurance. Il sait où la ligne doit aller, ne s'interroge plus sur le projet de dessin qu'il a formé dans sa tête quelques minutes plus tôt, mais que la maladie a aussitôt fait d'estomper.

Il la revoit. La vieille dame. Elle vient de terminer son café, se lève pour sortir.

Elle oublie son sac à main. Ce même sac qu'elle avait laissé ouvert pour se faire voler son portefeuille.

Il se lève, lui rapporte l'objet. Elle le regarde, fronce les sourcils : elle n'a jamais possédé ce sac à main.

Il lui montre le nom à l'intérieur. Elle admet que c'est bien son sac, s'excuse en se demandant à voix haute où elle peut bien avoir la tête. Il est surpris : l'autre jour, elle a raconté dix fois au gérant et au gardien de sécurité que ce sac à main lui était précieux parce que c'était un cadeau de son fils.

Elle fronce de nouveau les sourcils : elle n'a aucun fils. Seulement une fille, une fille médecin.

Il reste perplexe. Sa fille était avocate et son fils médecin, aux dernières nouvelles.

◆

Le portrait de la dame au portefeuille dérobé n'est plus qu'une forme ovale griffonnée, horrible, où yeux, nez et bouche se mélangent.

Son autoportrait est maintenant devenu aussi précis qu'une photographie.

Il reste longtemps à contempler les deux séries de tableaux, en tournant et retournant ses pinceaux entre les doigts.

✦

Il apprend par le gérant du café, deux semaines plus tard, que la vieille dame a été hospitalisée. Le gérant la connaissait assez bien pour avoir pris de ses nouvelles auprès de son fils, qui existe bien et est bien médecin.

On avait remarqué que la dame devenait étrange, mais cela avait soudainement dégénéré. Elle n'avait maintenant plus aucune mémoire, ni à court terme ni à long terme. Aucun souvenir. Rien.

Le gérant la plaint : elle n'est plus qu'une enveloppe vide, qui ne sait même pas qu'elle a existé – ou qu'elle existe tout court.

✦

Il a compris.

Son dernier autoportrait est moins bon que le précédent.

Il doit trouver un autre visage à peindre.

Il entre dans un café – un autre que son café habituel. Il ne faudrait pas toujours œuvrer au même endroit, dans la même population. On finirait par remarquer quelque chose d'étrange.

Il s'installe avec une tasse de café au lait, ouvre son carnet et prend un crayon. Il promène son regard sur la foule. Qui sera le prochain ?

Il repère un jeune punk, lui trouve un air idiot.

Sa disparition ne sera pas une grande perte.

La pointe du crayon touche le papier.

Aux armes !

Philippe-Aubert CÔTÉ
Texte lauréat du concours d'écriture sur place, Boréal 2008

Le Premier de sa lignée

par **Philippe-Aubert CÔTÉ**

Laurine Spehner

Montréal, vendredi 9 juin – 21 h

Aux sans-gêne qui lui demandent s'il monte sur les toits pour hurler à la Lune, Ugo ne répond que par un sourire canin : inutile d'expliquer à ces idiots que ressembler à un loup n'implique pas d'en adopter la conduite. Ironie du sort, quand le Synercom signale par une tonalité insistante l'arrivée d'un appel urgent, il est train de paresser sous l'astre de la nuit, apaisé par cette clarté qui dessine au crayon argenté son corps lupin.

Pourquoi n'a-t-il pas coupé le signal ? Avec un grognement ennuyé, il quitte le balcon pour l'air conditionné de sa garçonnière. Sur l'écran du Synercom, l'icône de l'interlocuteur clignote en rouge : la police, sur un canal crypté. Ugo sélectionne la communication inopportune et tape son code d'accès. Le visage reptilien du lieutenant Bénès apparaît aussitôt, ses sourcils d'écailles plus froncés qu'à l'habitude : « Fiston, faut que tu ramènes ton museau… »

Adieu la soirée tranquille. Avec un espoir de fuite, Ugo objecte : « Mainville et Phyllis sont de faction cette semaine…

— Renversé par un camion, Mainville. Phyllis est victime d'un empoisonnement alimentaire et les deux autres sont en vacances. Des cinq pisteurs, t'es le seul disponible…

— Qu'est-ce qui se passe ?

— Des essentialistes. Trois meurtres à la clinique Masson-Laurier. Si on ne réagit pas vite, ça sera catastrophique…

— Pourquoi ?

— Ne pose pas de questions et rapplique. Tu sais comment te rendre ?

— Bien sûr. »

Ugo coupe la communication avec un gémissement canin.

Trois meurtres. Trois êtres disparus à jamais.

Mieux vaut ne pas y songer. Ugo enfile sa veste bleue, la laissant entrouverte sur le cuir robuste de sa poitrine, et prend un casque de motocycliste conçu pour son museau. Au creux de sa poche, il glisse son *taser*. Pas question de se laisser surprendre par un suspect agressif, comme l'autre fois.

Dans la cour, des dizaines d'odeurs se mélangent autour de lui, comme des filets de colorant dans un verre d'eau. Chacune d'elles raconte une histoire : un couple s'ébat à côté, un chien cancéreux a uriné sur la borne où l'on verrouille les motocyclettes et Didier, le petit voisin de huit ans, se cache tout près. Alors qu'il détache son véhicule, Ugo repère le garçonnet penché par-dessus la balustrade d'un balcon.

« Hé, Ugo, tu vas arrêter des méchants ?

— Tout juste.

— Je peux venir ? »

Ugo sourit en allumant le moteur. « Qui va veiller sur ta sœur ? »

L'odeur de Didier trahit la déception. Le garçonnet réplique, boudeur : « Ça m'ennuie ! J'aimerais mieux être un nomorphe qui capture les méchants, comme toi, avec un museau qui sait tout. Mais moi, j'aurais des griffes. Et des poils partout, pas juste sur la tête.

— Néomorphe, Didier. Néo-morphe. Quand tu seras adulte, tu pourras avoir le corps que tu veux.

— Pourquoi j'ai pas le droit de changer maintenant ?

— La loi l'interdit aux enfants. Si tu veux capturer les méchants un jour, il faut que tu la respectes. »

Ugo sourit. Pauvre Didier. Devenir néomorphe le fascine tant. Non, ça fascine tous les enfants, nourris de contes aux monstres anthropomorphes. Ugo lance :

« Si tu es sage et que ta mère le permet, je t'emmènerai visiter la clinique où on transforme les gens. Ça te dirait ?

— Oui ! Ça serait génial ! »

En souriant au garçon, Ugo démarre en direction du mont Royal.

Vendredi 9 juin – 21 h 10

Sur l'écran, Ugo disparaît au bout de sa rue.

Sarah éteint l'image. Avec son Synercom connecté illégalement au réseau de la police, elle pourrait traquer Ugo à l'aide des caméras de la métropole. Mais elle connaît déjà sa destination, elle a décrypté son échange avec la police.

Surtout, trop le regarder réveille la douleur, attise la haine irrépressible que seul un tranquillisant peut étouffer. Mais elle a pris assez de pilules autrefois : pas question d'être une loque à perpétuité, non ! Plus de drogue, plus de thérapie, plus de psychologue. Avec la souffrance et la haine, au moins, elle continue d'exister. Et tant pis si les autres la trouvent froide parce qu'elle doit tout le temps se retenir d'exploser.

Elle se renverse dans son fauteuil, promène son regard sur les murs rouge tomate mouchetés de noir, les armoires vitrées pour ses livres, les fauteuils de cuir, le bureau en chêne… Du temps où le catamaran appartenait à son père, la pièce ressemblait au carré de n'importe quel navire. Maintenant qu'elle en a hérité, c'est sa bulle à elle, son sanctuaire où se retirer, partir au large en oubliant le monde extérieur. Le tout dans un décor familier, semblable à l'ancien cabinet paternel.

Avec la chaise pivotante en bois où il s'est suicidé aux somnifères.

C'était juste avant qu'elle ne rencontre Ugo.

Ugo. Il fallait le mêler à l'opération de Masson-Laurier, elle ne pouvait rater une telle occasion, malgré les dangers. En dépit des précautions supplémentaires, il représente un risque. Avec leur odorat surdéveloppé, les pisteurs cataloguent les odeurs d'une scène de crime et en tirent beaucoup d'informations non seulement sur les victimes, mais sur ceux qu'elles ont côtoyés avant le meurtre. Rendre inopérants les renifleurs actifs de la région de Montréal – trois sur cinq, les deux autres en vacances à l'extérieur et Ugo parmi les trois restants – était évidemment un préalable nécessaire. Mais elle a menti pour qu'on épargne Ugo.

Malgré le risque, elle veut le voir aux premières loges. Qu'il comprenne, le premier, ce qui va le balayer, lui et tous les néomorphes.

Qu'il paie enfin sa dette envers elle.

Vendredi 9 juin – 21 h 30

« Ces chiures se sont dépassées », maugrée Bénès de sa voix aux effluves de tortue.

Ugo ne répond pas. Après avoir revêtu une combinaison stérile et des gants chirurgicaux, il avance à quatre pattes sur le sol cuivré, reniflant chaque centimètre carré. Le criblage méthodique constitue sa marque de commerce. Les autres pisteurs se contentent de quelques coups de museau, mais il est écologiste de profession, lui, il lui faut beaucoup de données pour tirer des conclusions, un maximum d'odeurs.

Ici, toutefois, impossible d'atteindre ce maximum. Avec les cadavres présents dans la pièce, il aurait dû être noyé sous les émanations du sang. Seulement, rien. De toute évidence, les essentialistes ont répandu un inodorisant. Bromocryptol, sans doute. Assez puissant pour enchaîner les plus forts effluves aux surfaces. Le temps que le produit se dissolve, les odeurs se seront décomposées, devenant inutilisables même pour le plus brillant des pisteurs.

Ironique : les pisteurs sont au service de la Police depuis peu de temps et déjà on invente des substances pour brouiller leur travail. Offensive, contre-offensive.

Et Bénès n'exagère pas : les essentialistes se sont surpassés. *Trois* morts en *une* nuit, y compris l'un des leurs, un garçon cagoulé, effondré sous la fenêtre. En travers du lit gît la jeune femme, les yeux révulsés, la calotte crânienne emportée par une balle. Et, par terre, le néomorphe tient son ventre criblé de projectiles, son élégant visage tigresque figé dans un ultime rugissement.

Sur la photo 3D accrochée au mur ocre, les victimes s'enlacent, tout sourire. « Fanny et Anthony pour la vie », lit-on à leurs pieds.

Ugo évite leurs regards. Surtout ne pas songer à leurs rêves, à leurs espoirs qui ne se concrétiseront jamais. Envisager plutôt l'investigation comme un jeu, focaliser son attention sur le mystère de l'identité des criminels, non sur les pertes humaines. Pour rester efficace sur la scène d'un crime, il s'imagine souvent dans une chasse au trésor, comme lui en organisait jadis son père. Associer les indices, c'était excitant, à l'instar des romans policiers de sa jeunesse, le défi étant de découvrir un coupable au lieu d'un butin.

Depuis le couloir, Bénès lui résume les faits : « À ce qu'on comprend, les essentialistes sont arrivés à 20 h 20, cagoulés et gantés. Ils sont montés à cette chambre et ont attaqué ses occupants. Anthony veillait sur sa femme, il l'a défendue. Les essentialistes l'ont tué, abattant par accident l'un des leurs. Puis ils ont massacré la femme. Tu déduis quoi, fiston ? »

Ugo renifle le cadavre de la jeune femme. L'inodorisant, bien qu'utile pour brouiller les pistes, ne constitue pas une parade absolue. S'il a détruit les émanations dont les assassins ont pu imprégner la chemise d'hôpital, la vaporisation précipitée n'a pas été suffisante pour traverser le tissu. La senteur corporelle persiste en dessous, mêlée à des résidus d'adrénaline. L'hormone suscite en Ugo la même peur que celle ressentie par la morte : un haut-le-cœur l'étrangle, il tousse pour continuer.

Sous l'adrénaline, une autre hormone. Ocytocine.

Ugo recule, révolté. Ocytocine ? Elle a accouché ?

Les essentialistes ont assassiné une jeune mère ! Fichus radicaux technophobes. Le monde ne changera jamais. Révolutionné par la néomorphose ou par n'importe quoi, il engendre à coup sûr des réactionnaires violents, comme les essentialistes. Certes, ils ne sont pas tous dévoyés – comme ces penseurs critiques, inquiets de la discrimination positive envers les néomorphes. Après tout, l'exclusion parfois subie par les humains ordinaires en faveur des néomorphes est injuste, comme pour les policiers, qui acquièrent la carrure d'un gorille pour augmenter leurs chances d'intégrer les forces de l'ordre... Mais les autres, les paranoïaques qui soutiennent l'existence d'un complot néomorphe visant à modifier le patrimoine génétique des générations futures malgré la loi... Qu'ils brûlent en enfer avec leurs mensonges ! La néomorphose n'est qu'une forme raffinée de chirurgie esthétique, pratiquée sur les adultes qui la demandent, et ses effets ne se transmettent pas à la descendance. Elle n'altère ni le sens moral ni l'intelligence, nécessaires à l'humanité d'un individu. Alors, où est le problème ?

Ugo sort de la chambre, content de retirer son capuchon et de libérer ses oreilles pointues. Un pincement lui arrache une grimace : le retrait de la cagoule a resserré la chaîne de son pendentif. « Les essentialistes ont prévu la présence d'un pisteur, dit-il. Ils ont dû faire éclater une balle de bromocryptol. Difficile de tirer des conclusions. Mais Fanny...

— La jeune femme. Oui ?

— Elle a accouché. » Ugo penche la tête de côté, l'oreille gauche baissée en signe de curiosité. « Pourquoi une femme enceinte ici ? Masson-Laurier ne s'occupe que de néomorphose... »

Bénès l'invite au silence en posant un index écailleux sur ses lèvres ; d'un coup d'œil, il indique les policiers-gorilles qui inspectent le couloir. Puis le lieutenant active l'écouteur inséré dans son oreille et allume son Synercom portatif, monté sur sa montre-bracelet : « Docteur Rimbaud ? Ici Benes. Je descends à votre labo avec le pisteur. » Il fait signe à Ugo de lui emboîter le pas. « Tu n'as vu que la moitié du spectacle. Les essentialistes étaient trois. Les deux premiers sont venus ici, mais le troisième est descendu au sous-sol. Ils cherchaient quelque chose qui se trouvait soit dans la chambre, soit en bas.

— Que cherchaient-ils ?

— Ce qu'ils désirent le plus au monde : une arme contre *tous* les néomorphes... »

Vendredi 9 juin – 21 h 35

Comme le catamaran ne possède aucune climatisation et qu'ouvrir les hublots rafraîchit à peine l'embarcation, Sarah monte sur le pont. Elle y marche plusieurs minutes de long en large avant de se calmer. Elle s'assoit à la barre, son regard alternant entre le quai illuminé et la rivière des Prairies, confondue au loin avec la nuit. Le chalet en ruine où est ancré le bateau, autre legs de son père, repose au centre d'une large encoche taillée dans la forêt, un côté vers l'eau, les autres bordés de feuillus. Un chemin de terre relie l'endroit au reste de l'île de Montréal. La maison la plus proche se trouve à sept cents mètres. Un lieu idéal pour dissimuler ses activités.

Elle vérifie la présence de son pistolet, glissé sous sa ceinture, dans son dos, lorsqu'une voiture verte s'immobilise à l'entrée du quai. Un grand rouquin en treillis militaire émerge du véhicule, suivi par un jeune homme brun et mince, un panier dans les bras.

Les deux hommes s'avancent sur le pont. Rassurée, elle lance au rouquin : « Marchini, j'ai entendu au Synercom que les flics rapportaient un mort parmi les nôtres. »

D'un doigt, le nommé Marchini ordonne au jeune homme de descendre le panier à l'intérieur. Une fois qu'ils sont seuls, il explique : « Olivier est mort. Pendant que j'allais au sous-sol, Colin et lui sont montés à la chambre de la femme. Le mari s'y trouvait, ce n'était pas prévu. Il les a attaqués, Colin a tiré dans le tas. Tout le monde y est passé…

— Personne ne devait mourir ! Ça va discréditer notre action…

— Peu importe, Olivier n'a sur lui aucun indice qui peut le relier à nous. De plus, j'ai quand même lâché une balle d'inodorisant. Ça devrait brouiller assez les pistes, même s'ils font venir un renifleur de Québec. » Marchini baisse la voix. « On a un autre problème.

— Lequel ?

— Colin : pas mûr pour verser du sang. Il est sous le choc et pourrait craquer devant les gorilles. On l'élimine ?

— Non. Conduis-le chez nos amis, ceux à deux maisons d'ici. Qu'on le surveille jusqu'à ce que tout soit terminé. Si on commence à sacrifier les sympathisants…

— D'accord. Compte sur moi. Tu veux voir la petite horreur ? »

Elle acquiesce. Marchini appelle Colin, puis il lui propose de prendre un verre. Ils descendent tous les deux sur le quai.

Sarah gagne le carré. Sur son bureau, le panier attend, couvert d'un drap. Elle retire l'étoffe d'un geste brusque. Ses jambes faiblissent, sapées par la répulsion.

Le bébé dort paisiblement, poings serrés. Mais elle ne voit que ses rayures, ses oreilles pointues, son petit museau de tigre…

Il est plus laid que sur les photos.

Avec une grimace, elle replace la couverture.

Vendredi 9 juin – 21 h 40

Pour ne pas contaminer la seconde scène de crime avec des traces biologiques issues de la première, Ugo prend une combinaison de rechange dans un sac scellé. Derrière Bénès, il traverse la mezzanine du hall principal de Masson-Laurier, dominée par l'hologramme du fameux *Un corps sur mesure* inscrit sur toutes les publicités de la clinique. À travers la grande baie vitrée, les lumières du centre-ville sont de véritables constellations occultant par leur éclat celles du firmament. Au clignotement des phares rouges sur les gratte-ciel répond celui des véhicules de police dans le stationnement. L'effervescence extérieure, exacerbée par les journalistes avides d'arracher une primeur aux policiers-gorilles affectés au périmètre, trouve son écho à l'intérieur : sur la gauche, la mezzanine donne accès à une série de bureaux grouillant de psychologues, d'infirmières et de patients à divers stades de néomorphose. Tous dégagent des relents de nervosité au milieu des policiers qui recueillent les dépositions.

À l'extrémité du hall, Ugo pénètre avec Bénès dans un ascenseur qui les mène au premier sous-sol. Un policier-gorille les guide ensuite le long d'un couloir bleuté jusqu'à une salle de contrôle où, face à une baie vitrée, deux médecins s'affairent à une large console. Ugo grogne d'étonnement : de l'autre côté du plexiglas se trouvent trois caissons translucides dans lesquels flottent des personnes en cours de néomorphose. Les mêmes « cocons pour humain » que celui dans lequel il a séjourné cinq ans auparavant, bien qu'il n'en garde aucun souvenir à cause de l'anesthésie.

« Je sais que les remodelages intenses nécessitent de suspendre le sujet dans un milieu stable, mais le voir en vrai…

— C'est le même principe qu'une chenille dans sa chrysalide », lance le plus âgé des médecins en se retournant.

Cette odeur vanillée… L'une des premières qu'Ugo ait senties. Depuis s'est ajouté un parfum aqueux : l'individu s'est apparemment passionné pour la navigation. « Bonjour, docteur Rimbaud. J'ignore si vous vous souvenez de moi… »

Un sourire fugitif éclaire le visage du médecin : « Monsieur Ugo Morell. Je ne vous oublierai jamais. Vous, et surtout vos raisons pour devenir néomorphe. Vous êtes pisteur ?

— Oui. Le reste du temps, je travaille au Biodôme et au zoo. »

La voix de Rimbaud, sonore dans le souvenir d'Ugo, s'épuise en un faible murmure. Sous le parfum aqueux fermentent les relents du stress. Le médecin est au bord de l'épuisement, soutenu par ces réserves d'énergie supplémentaire que le corps ne délivre qu'en cas de danger. On devra bientôt l'aliter.

« Vous vous connaissez ? demande Bénès.

— J'ai établi le design de son néocorps, répond Rimbaud.

— Hum. Vous nous conduisez à la chambre ?

— Suivez-moi. » Rimbaud se dirige vers une porte dans le mur opposé, en ajoutant : « Je craignais que nos assaillants n'aient saboté les caissons de suspension. Ces patients sont dans un état de fragilité extrême, le moindre stress serait fatal…

— On dirait des fœtus dans le ventre de leur mère, suggère Bénès.

— Ce n'en est pas loin. La néomorphose réactive certains processus du développement intra-utérin… »

Rimbaud presse sa main sur la plaque lumineuse à côté de la porte. Une fois ses empreintes enregistrées, le passage s'ouvre et il précède les agents dans un laboratoire aux armoires métalliques remplies d'instruments médicaux.

Bénès demande à Ugo : « Je suis curieux, fiston. Qu'avaient-elles de particulier, tes raisons pour devenir néomorphe ?

— J'ai fait mes études sur l'écologie des loups et des couguars. On ignorait tant de choses sur leur univers sensoriel, jusqu'à ce que la néomorphose nous permette de *vivre* avec leurs sens. Je voulais savoir comment mes bêtes préférées perçoivent notre monde.

— Ce qui m'avait frappé, précise Rimbaud sans s'arrêter, c'est que vous m'aviez résumé vos motivations en citant ce philosophe…

— Nietzsche. Oui. » Ugo hésite. Une angoisse fugitive, un soupir, un effort pour continuer : « Ma compagne d'alors effectuait des stages dans toutes les universités du monde. Je me plaignais de ses absences, elle me répétait qu'elle suivait le conseil de Nietzsche. Selon lui, un bon philosophe doit voyager, apprendre des autres cultures. Cette phrase a été un déclencheur. J'ai décidé d'explorer le monde… avec de nouveaux sens.

— Oui… Je me rappelle votre charmante conjointe. Sarah… Boisbriand ? »

Ugo acquiesce. L'angoisse s'intensifie. Distraitement, il roule son pendentif entre le pouce et l'index.

Le quai du métro est presque désert en milieu d'après-midi. Sarah ne tarit pas sur la dernière présentation d'Ugo sur l'écologie, dans le réseau d'écoles primaires qu'elle supervise.

— Le mélange multimédias et récits d'expédition, ça les fascine toujours, les gamins ! Ça, ça vient de tes parents, je suppose. Un père informaticien et une mère cantatrice, ça doit aider à mélanger la science et le spectacle.

Mais il écoute distraitement : il regarde un jeune homme sillonné par de longues plantes grimpantes, un tam-tam sur le dos. Puis un couple de néomorphes : lui ressemble à un couguar vêtu de cuir, elle, une femme-livre, porte des textes sur sa peau métallisée. Il ne peut s'empêcher de dire : « J'y pense de plus en plus… »

Sarah soupire : « On ne va pas revenir là-dessus…

— Imagine tous les territoires inconnus auxquels on peut accéder. Je me suis toujours demandé comment les animaux perçoivent notre monde. Ça fait des dizaines de fois que je rentre dans l'enclos des loups au zoo. Ils m'acceptent, je parviens à deviner leur humeur et eux devinent la mienne… Mais je n'en sais pas plus. Comment ils nous perçoivent, moi et le reste du monde, c'est un mystère là, sous mon nez… Je dois savoir.

— Parfois, je me dis que tu es plus proche d'eux que des humains…

— À l'intérieur, je suis peut-être quelque chose coincé entre les deux…

— Ah ! Une néomorphose serait alors ton accomplissement ? Devenir un hybride grotesque te permettrait de te réaliser ?

— Grotesque ? L'homme-couguar, tantôt, je le trouve très élégant… »

« Mademoiselle, vous avez perdu ceci… »

Ils se retournent. Un policier-gorille arrive lentement derrière eux, en tendant un portefeuille. Sarah regarde fixement l'agent. Noir, mâchoire carrée et puissante, arcades sourcilières proéminentes, simiesques. Celui-là mérite vraiment le surnom de « gorille ».

Elle prend le portefeuille par l'autre extrémité, pour éviter de toucher les larges doigts poilus. L'agent les salue d'un signe de tête et poursuit son chemin.

À la maison, elle jette le portefeuille.

Et ensuite les discussions, le malaise, les disputes. Le départ de Sarah en Angleterre. Il a pris sa décision : il passe à l'acte pendant son absence. Ce n'était certes pas ce à quoi Sarah s'attendait. À son retour, elle repart. Pour toujours.

Ensuite, elle se venge.

L'haleine de tortue de Bénès ramène Ugo à la réalité : « On y est, fiston.

— Les essentialistes ne pouvaient accéder à ce secteur sans mes empreintes, poursuit Rimbaud. L'un d'eux m'a tordu un bras pour que j'applique ma main sur les scanneurs et que je le conduise ici. »

À leur droite, le médecin ouvre une porte donnant sur une pièce baignée de lumière jaune. L'une des chambres de réveil, où l'on reprend ses sens après une suspension. L'endroit où l'on naît une seconde fois.

Après avoir revêtu sa nouvelle combinaison, Ugo commence son inspection, en tentant de capter le parfum de ceux qui ont visité les lieux durant les dernières heures. Peine perdue : rien, hormis l'odeur des photographes venus *après* le crime. Encore le bromocryptol.

Au bout d'une dizaine de minutes, il se redresse, déçu, et promène son regard sur les objets environnants. Un grognement : il néglige souvent ses autres sens au profit de son odorat. En accordant plus d'importance au témoignage de ses yeux, il aurait déjà remarqué que la pièce possède bien des singularités pour une chambre de réveil. Comme ailleurs, on y trouve lits et moniteurs de signes vitaux, mais il y a aussi une table à langer et, sur une petite armoire, un bac transparent, comme dans les pouponnières.

« C'est la chambre d'un bébé. »

Il regarde Bénès, l'oreille droite baissée. Le lieutenant hésite, puis explique : « Le premier bébé néomorphe de l'Histoire. Garde l'information pour toi : seuls les photographes, le pisteur…

— Mais la loi, la Convention d'Amsterdam... On ne peut pas néomorphoser un enfant! »

La séquence imaginaire déboule dans sa tête: manifestations, émeutes, débats politiques soulevés par une telle infraction. Rimbaud s'empresse d'ajouter: « C'est une erreur de programmation. Les nanobots ne se sont pas détruits après la néomorphose d'Anthony. Certains d'entre eux sont passés dans le corps de la mère, lors d'une relation sexuelle. Les conditions physiologiques entourant un bébé en gestation sont les mêmes que dans nos caissons: les nanobots se sont crus dans un milieu de suspension et ils ont néomorphosé l'enfant avant sa naissance...

— Quand les parents ont vu l'échographie, poursuit Bénès, ils ont eu peur du scandale. Fanny a accouché à l'hôpital, puis on l'a cachée ici, avec le petit, en attendant de trouver la bonne manière de révéler l'incident. Mais quelqu'un a prévenu les essentialistes...

— Si l'existence de cet enfant est révélée sans aucune préparation, pensez-vous que les essentialistes et leurs partisans croiront à une fatalité? Non: ils emploieront l'incident pour appuyer l'idée d'un complot néomorphe. »

Ugo roule machinalement son pendentif entre ses doigts. Si jamais la population ordinaire éradique les néomorphes... Et lui par la même occasion...

Et l'enfant? Un bébé détesté alors que son seul crime est d'exister. Où se trouve-t-il? Vit-il encore?

Un enfant comme celui qu'il aurait pu avoir.

Après le départ de Sarah. Malgré sa peine, la petite fête dans un pub, offerte par ses amis néomorphes, contents de l'accueillir dans leur clan. Le serveur qui s'approche: « Un petit colis pour vous. »

Dans la boîte, le flacon. Dans le flacon, une gomme rouge mâchée, semblable à un oisillon.

Non. Ni gomme ni oisillon: un fœtus.

Le bébé que Sarah attendait de lui.

Celui qu'il porte dans son pendentif.

Vendredi 9 juin – 22 h

Sarah s'approche du *Philosophe en méditation* de Rembrandt, qui domine le carré. Son père voyait un modèle dans l'image de cet érudit réfléchissant sous un escalier. « On doit se mettre en retrait de la réalité pour mieux la comprendre », disait-il. Il avait essayé au milieu des livres qui garnissent aujourd'hui le catamaran. Sarah le revoit souvent passer d'un ouvrage à l'autre dans son ancienne bibliothèque : « ... sous l'odeur du papier, on renifle celle de la vérité cachée ». Comme il était brillant. Et exigeant. Toutes ces heures qu'il lui avait fait passer dans les livres, à entretenir des réflexions supérieures à celles des enfants de son âge. Elle était précoce. Trop pour que ses camarades d'école l'acceptent.

Et puis, comme toujours, elle revoit son père vieilli, voûté, inquiet de la présence croissante des néomorphes. Les humains ont évolué intellectuellement au cours des siècles sans changer physiquement et ont engendré des cultures merveilleuses. Mêler l'humain à l'inhumain va peut-être détruire cette capacité de penser, si féconde.

Elle serre les dents. Plutôt que de voir un monde sans humains se substituer à la civilisation, il a préféré se retirer. En abandonnant sa fille.

Mais elle, au lieu de fuir ce monde, elle le ramènera dans le droit chemin.

Elle fait pivoter la toile pour accéder au coffre-fort dissimulé derrière et en extrait tous les documents relatifs au bébé. Marchini est bien utile. Confiné à un travail de gratte-papier faute d'être devenu un policier-gorille, il peut accéder aux réseaux informatiques de la police. Il a appris la naissance de la petite horreur, puis il a jeté les bases de l'enlèvement en plus de fournir les adresses et les périodes de vacances des pisteurs. Quant à elle, elle a procuré argent et cachette.

Et maintenant, c'est à nouveau à elle de jouer. Ces documents, présentés avec le bébé lui-même, contiennent le nécessaire pour dénoncer un complot néomorphe, réel ou fictif. Ne reste plus qu'à répandre ces informations. D'une enveloppe, elle sort les coordonnées de trois journalistes, un du *Vingt et unième siècle*, quotidien virtuel réputé pour vérifier les fondements de ses primeurs, et deux autres associés aux journaux à potins. Si ces derniers révèlent l'existence du bébé – ce qu'ils feront vu leur appétit pour le sensationnel –, le *Vingt et unième siècle* devra aussi mentionner le fait avant de conduire sa propre enquête, ce qui donnera de la crédibilité à l'annonce. Peu importe que la presse sérieuse découvre à la longue que l'enfant résulte d'une mauvaise programmation des nanobots : les essentialistes auront entre-temps répandu la rumeur de la création d'une lignée destinée à supplanter la race humaine. La propagande sera si efficace qu'aucun démenti ne la renversera. Les masses réclameront l'interdiction de la néomorphose. Si le gouvernement obtempère, ce sera la défaite de ce monde dévoyé. Et d'Ugo.

Marchini descend dans le carré, un Synercom portable en main. Le visage empourpré, il lui lance : « Je viens de vérifier les communications de la police. Ugo est à Masson-Laurier. Tu ne m'avais pas dit qu'il était absent ? »

Fallait-il qu'il découvre la vérité si tôt ? Elle feint l'étonnement : « Qu'est-ce que tu dis ?

— Bénès l'a convoqué. Je le croyais à l'étranger…

— Ah non ! Le personnel du Biodôme était formel : on l'envoyait en Belgique pour un colloque…

— Eh bien, il a changé d'avis. Bon sang ! On a épargné le seul pisteur qui te connaît ! Si jamais on a laissé ton odeur sur place…

— Ne t'inquiète pas avec ça. Avec le bromocryptol…

— Si tu te trompais ? On ne peut pas le laisser continuer : il peut tout faire rater.

— Qu'est-ce que tu proposes ?

— L'éliminer. »

Un éclair de satisfaction traverse Sarah. Dommage, quand même, qu'Ugo ne souffre pas plus longtemps. Mais aucune excuse ne convaincra Marchini de reporter cette sentence. Autant se montrer coopérative : « Laisse-moi y penser… Je vois une possibilité. Je connais Ugo, il va réfléchir sur son enquête, chez lui ou ailleurs. Comme il ne possède aucun Synercom portatif, il va préciser à Bénès où le joindre, au cas où, et le reptile va inscrire l'information dans les banques de la police…

— Que je peux consulter…

— … comme n'importe quel inspecteur désireux de savoir où le trouver. Tu pourras aller lui régler son compte.

— Avant la rencontre avec les journalistes ?

— Il nous reste encore deux heures.

— Oui… J'ai le temps. Dis-moi, ça fait des années que tu rêves de lui trouer le cuir. Pourquoi t'y vas pas ?

— Je perdrais mes moyens face à lui. Toi non. »

Elle le regarde. Il ne dit rien. Puis il tourne les talons : « T'as raison. Et puis ça va me tranquilliser de le voir mort, ce sale néo... »

Vendredi 9 juin – 22 h 45

La solution de l'enlèvement se trouve là, sous son museau.

Cette intuition obsède Ugo tandis qu'il regagne ses pénates. Intuition ? Les inspirations tombées du ciel n'existent pas : son cerveau assimile à son insu des indices qu'il a perçus sans les remarquer, voilà tout.

Cramponné à sa motocyclette, il tente en vain de cerner ce qui lui échappe. Fanny, le bébé néomorphe, Anthony, Sarah, son propre enfant, la controverse qui risque d'éclater si on ne retrouve pas le petit à temps... Tout s'agglutine, engendrant en lui un marasme qui interfère avec sa réflexion. Cela lui arrive parfois, après qu'il a visité une scène de crime. Les émois des défunts lui collent à la peau, alors, il va les effacer avec les émotions plus joyeuses des vivants, de préférence en se détendant dans un endroit où l'on fête.

À un Synercom public de la rue Sherbrooke, il prévient Bénès qu'il va ressasser ses intuitions en ville.

« Où peut-on te joindre ? demande le lieutenant.

— Au *Cyborg*. »

Il en est surpris après coup. Il avait pensé à d'autres endroits, mais sans crier gare, ce lieu s'est imposé.

Son inconscient vient de parler.

Comme le concept auquel réfère son nom, le *Cyborg* loge dans un édifice composite, un ancien lieu de culte avalé au fil des ans par les nouveaux bâtiments de la rue Saint-Denis. Tables, chaises et piste de danse occupent la nef centrale alors que les comptoirs longent le bas-côté, fusionnés aux colonnes en un curieux mélange de pierre, de métal et de bois. Sur la scène nimbée d'une clarté écarlate, là où se dressait le maître-autel, quatre hommes-animaux et deux ordinaires réinventent quelques airs classiques au piano, au saxophone et à la batterie électroniques, le tout accompagné du *scat* d'une chanteuse-cobra. Du néojazz, distinct des autres formes de jazz par la capacité des néomorphes à jouer à des rythmes et des intensités plus endiablés que ceux de leurs prédécesseurs.

Ugo s'accoude au comptoir en balayant la foule du regard. Fascinant, la diversité d'apparences qu'engendre aujourd'hui la néomorphose, pourtant confinée, à l'origine, à la nanochirurgie réparatrice. Hybrides homme-animaux, symbioses homme-plantes, humains-machines – les « mechas »… On retrouve tout cela au *Cyborg*, surtout des mechas. Si certains d'entre eux n'intègrent que des composantes électroniques discrètes, quelques-uns disparaissent sous le métal, semblables à des robots extra-terrestres. À côté des toilettes, cinq d'entre eux – des habituées surnommées les *tin can* – rient à gorge déployée. Ils font signe de la main à Ugo pour l'inviter à leur table. « Tout à l'heure », leur lance Ugo.

Syl, la maîtresse des lieux – bracelets et bijoux fusionnés à sa peau argentée –, approche de l'autre côté du comptoir : « Tu joues au chien policier ce soir ?

— Oui. Une sale affaire. La solution est là, devant moi, mais je ne la vois pas…

— Ta vieille tortue de lieutenant serait choquée si tu me racontes ?

— Oui. Par contre, il approuverait tes remontants. Tu sais, caféiné et pas trop alcoolisé : je suis en moto. »

Pendant que Syl prépare un café-cocktail, il se tourne vers la piste. Chair, fourrure, écailles, plantes et métal y ondulent, mêlant leurs émanations aux notes de musique. Un autre langage, odoriférant, double celui de la mélodie : désir, amour, frustration… Chacune de ces émotions résonne en Ugo, sans toutefois effacer celles qui le tenaillent depuis la clinique : l'indice manquant lui noue l'estomac.

Et à côté, un deuxième nœud. Le souvenir de Sarah. Il a choisi de ne jamais la revoir. En explorant l'acuité nouvelle de ses sens, il a révisé tout ce qu'il croyait savoir des relations humaines. Avant sa néomorphose, le langage chimique du corps lui échappait. C'était si facile de blesser les autres… Il n'en avait jamais eu aussi clairement conscience auparavant. Il avait mieux compris la réaction de Sarah. Il savait qu'il avait toujours été maladroit avec elle, mais pas qu'elle était si vulnérable… Dans un couple, on se fait confiance. Il avait rompu ce pacte. Il avait fait passer ses propres désirs en premier. Que son choix de la néomorphose ait pu être si cruel pour elle… il le comprend maintenant, oui. Trop tard.

Il s'est imaginé des scènes de réconciliation. Mais ses scénarios oscillent entre la violence et des excuses insincères : une part de lui n'accepte pas d'avoir été frustrée du rêve d'être appelé « papa ». Endurer les remords semble plus tolérable que de tenter de les apaiser par une réconciliation susceptible de dégénérer en affrontement.

Syl pose devant lui un verre conique rempli d'un café orangé : « Tu joues encore avec ton pendentif. Pourquoi ne le jettes-tu pas ? C'est malsain de garder *ça*. Oublie tout, ou va voir Sarah et exorcise-toi d'elle une fois pour toutes…

— Tu sais bien que j'ai peur d'être méchant.

— Toi, méchant ? » Elle rit. « D'accord, tu as été maladroit avec Sarah. Tu as cru à tort qu'elle t'aimait assez pour accepter ta néomorphose. Mais voulais-tu la torturer consciemment ? Non. »

Ugo prend une gorgée de son café, silencieux. Syl soupire :

« Pauvre toutou. Jamais vu quelqu'un tant vouloir se racheter aux yeux de ceux qui le détestent. Ta néomorphose t'a rendu trop humain. » Elle lui tapote le poignet. « Tu sais quoi ? Il te faut des vacances. Ça te dirait une croisière ? On planifie un autre périple en voilier, avec les *tin can* : le Saguenay, puis le golfe du Saint-Laurent. »

Une croisière entre amis ? Pourquoi pas ? Comme la promenade en bateau qu'ils ont effectuée autour de Montréal, l'année dernière. Le bruit de l'eau, le vent, le soleil, le changement graduel dans les odeurs au fur et à mesure qu'on progresse d'un endroit à un autre, l'eau de chaque rivage possédant son propre parfum…

Un parfum aqueux. Comme celui du docteur Rimbaud.

Comme celui qu'il sent en ce moment.

Sauf que le médecin de Masson-Laurier ne l'a sûrement pas suivi dans ce bar.

« Quelque chose ne va pas ? » demande Syl.

Ugo se retourne, regarde les danseurs, hume.

Bateau, eau, marina, rivage… Les paroles de Rimbaud : « L'un d'eux m'a tordu un bras pour que j'applique ma main sur les scanneurs et que je le conduise ici. »

L'odeur aqueuse du médecin ne trahit pas une passion pour la navigation : elle a été laissée sur lui par son agresseur. Et ce parfum

d'eau n'est pas corporel, mais issu d'un lieu. D'un rivage proche
duquel Ugo est passé l'année dernière. D'où vient l'essentialiste.
Où l'on cache peut-être le bébé…

Voilà ce que son inconscient voulait lui révéler en l'attirant
au *Cyborg*.

Il faut prévenir Bénès. Ugo demande à Syl : « Tu as ton
Synercom portatif ? Prête-le-moi, s'il te plaît. »

Après avoir pris le petit appareil, il en insère l'écouteur dans
son oreille. Il touche du bout des doigts son *taser*, au fond de sa
poche, puis file vers les toilettes, en saluant d'un hochement de
tête les *tin can*.

Le carrelage noir aux interstices rouges des cabinets réveille
son mal de tête. Il referme la porte, pour se couper du tohu-
bohu, et se place à côté, *taser* en main. Puis tape nerveusement
le numéro de Bénès sur le Synercom.

Un grand rouquin pénètre dans la pièce. Il l'a déjà vu quelque
part, celui-là. Oui, dans les locaux de Bénès, à la centrale de
police. Un flic non-néomorphe, responsable des ordinateurs, toujours aperçu derrière une vitre, impossible de sentir son odeur.
Un nom qui sonne italien. Mar… « Marchini ? »

Marchini aperçoit Ugo derrière la porte. Il se retourne à demi,
dégainant un pistolet muni d'un silencieux.

L'odeur aqueuse, c'est lui !

Ugo lui plante son *taser* dans les reins. Les jambes de l'autre
ne fléchissent pas : sa veste entrouverte laisse voir un épais gilet
pare-balles. Dans la manœuvre, les pointes du *taser* se sont
fichées dedans. Ugo se sent projeté au sol par une bourrade, laisse
échapper un juron. Le rouquin le met en joue. D'une détente de
fauve, Ugo le fait tomber d'un coup de pied. Roulant sur le côté,
il écrase l'assaillant sous son poids et tente de lui arracher son
arme.

Ses oreilles se dressent.

Là, sur la peau de Marchini. Une odeur… familière…

La surprise l'immobilise un instant de trop. L'autre lui envoie
un coup de crosse au visage. Ugo relâche son étreinte. Le rouquin en profite pour extraire de sa poche une balle qu'il brise au
sol. La sphère éclate avec une forte détonation, puis répand un
nuage blanc et piquant. Bromocryptol. Ugo tousse, gorge et yeux
irrités, tandis que l'autre parvient à le renverser.

À travers ses larmes, il voit Marchini se redresser et le mettre en joue.

La porte s'ouvre devant les *tin can*, alertés probablement par la fumée. Ugo hurle : « Essentialiste ! »

Le mot agit comme un électrochoc : les cyborgs plaquent l'agresseur contre le miroir, pulvérisant le verre.

Ugo n'assiste pas à la fin de la scène. Environné de gaz et des cris de son assaillant devenu victime, il rampe hors des toilettes.

Syl accourt pour le relever, lui tape dans le dos. Il crache un peu de fumée et grogne : « Appelle Bénès. Nous tenons son homme. Je le recontacte. Je te redonne ton Synercom en revenant… »

Il s'échappe.

Il doit effectuer la visite si longtemps évitée.

Vendredi 9 juin – 23 h 30

Sarah soupire : Marchini tarde trop. Elle ne peut pourtant pas se rendre seule au rendez-vous ! Pendant qu'elle parle aux journalistes, lui doit surveiller…

Derrière elle, dans la cabine, le bébé recommence à pleurer. Il doit mourir de faim, ou peut-être faut-il changer sa couche. À moins qu'il n'ait chaud : elle n'a pas ouvert les hublots de sa chambre, elle ne veut pas l'entendre crier.

Un frottement dans le couloir des cabines.

Elle fait pivoter sa chaise. Les hublots de la chambre du bébé sont fermés. Pas ceux de la cabine voisine.

Elle sort son pistolet, gagne le couloir et ouvre la porte du bébé.

Vendredi 9 juin – 23 h 31

Près du panier, Ugo sursaute.

Il se retourne. Sarah.

Il reste figé, étonné : ses scènes de retrouvailles ont négligé la possibilité qu'elle ait changé. Il l'a toujours imaginée telle qu'au moment de leur rupture : chevelure brune, rondeurs bien placées. Mais il a devant lui une guerrière : ne subsiste que le brun café de ses yeux – plissés, hostiles. Cheveux décolorés, coupés en brosse, rondeurs disparues. Tout le corps de Sarah n'est qu'angles et arêtes, comme le pistolet qu'elle pointe sur lui.

« Tu devrais être mort, dit-elle enfin.

— Marchini a été capturé. »

Elle plisse les lèvres. Ugo poursuit : « J'ai reconnu sur lui l'odeur du coin. Et la tienne. J'ai su que je devais visiter l'ancien chalet de ton père. Je ne voulais pas t'envoyer les gorilles par erreur, alors je suis venu m'assurer que tu étais vraiment impliquée… » Il indique l'écouteur dans son oreille : « J'ai prévenu la police. Ils m'ont dit d'attendre, mais j'ai entendu le bébé. Je ne pouvais pas le laisser souffrir… »

Sans baisser son arme, Sarah s'approche du hublot et jette un coup d'œil vers le chalet : « Tu pourrais bluffer, mais je ne courrai aucun risque. On quitte les lieux. Passe devant, avec le bébé. »

Ugo grogne, se tourne vers le panier. Avec le bébé dans les bras, impossible d'agir. Doit-il tenter de désarmer Sarah ? Non, elle peut tirer et blesser le petit. Il caresse la tête de l'enfant, l'installe au creux de ses bras. Fronçant le museau pour oblitérer les relents de couche souillée, il passe dans le carré.

Ces livres, ces tableaux, ce bureau…

L'univers du père de Sarah.

Il se hâte de monter sur le pont, baigné par les effluves d'eau et d'humus. Coup d'œil vers les arbres. Au-delà des lumières du quai, les feuilles, à ses yeux, miroitent dans la clarté lunaire. Aucun renfort embusqué.

Déçu, il s'engage sur le débarcadère en direction du garage.

Son malaise augmente à chaque pas, au fur et à mesure que son cerveau reconstitue le véritable passé de Sarah, celui qu'il n'avait pas voulu imaginer. La fureur blessée de Sarah. Sarah qui le rend, lui, responsable de toutes ses peines. Sarah qui rend tous les néomorphes responsables de sa peine. Elle dérive vers des gens aux expériences semblables. Elle se radicalise, rejoint les essentialistes, devient assez fanatique pour participer à cet enlèvement, à ce massacre…

Sarah, leur enfant, Fanny, Anthony… Tous détruits. Un effet domino fatal. Et il en est l'initiateur.

L'air lui manque. Il titube. Il a jadis espéré se racheter auprès de Sarah. Mais pour les autres, que peut-il faire ? Et pour ce bébé, jeté dans un monde qui le déteste, premier et seul de sa lignée ?

Son pendentif, sur sa poitrine. Va-t-il laisser cet enfant mourir ? Comme l'autre ?

Il murmure, sans bien s'en rendre compte : « Mon enfant…
— Quoi ? »

Il prend conscience de ses paroles, se tourne vers Sarah. Il prend le bébé dans un seul bras et, avec maladresse, tire le pendentif de sous sa veste. Il parvient à en déboucher l'extrémité ; un tube de verre apparaît. Et une petite masse à l'intérieur.

Il regarde Sarah : le pistolet vacille.

« J'ai compris, dit Ugo. Depuis le jour où j'ai reçu ça. Je regrette tant de t'avoir fait du mal. Je ne voulais pas… Je… Je sais maintenant que c'était mal…

— Non, tu ne comprendras jamais !

— Si. Après toutes ces années à vivre les émotions des autres, je t'ai comprise. Je sais que je t'ai fait miroiter un bonheur que tu croyais perdu après la mort de ton père…

— Assez ! »

Mais il ne se taira pas. Il ne peut ramener à la vie ni Fanny, ni Anthony, ni son propre enfant mais il peut encore aider Sarah à reprendre pied. Et se racheter, peut-être. « À ton retour d'Angleterre, je croyais que j'arriverais à te réconcilier avec mon monde, mais je me trompais. Tu t'es sentie abandonnée. Je ne voulais pas ça… »

Son nez devance ses oreilles.

Une odeur de tortue.

Une détonation. Le genou de Sarah plie sous elle. Elle s'effondre avec un cri. Ugo resserre son étreinte sur le bébé. Au cœur des buissons, les formes de plusieurs gorilles émergent de l'ombre. L'une des silhouettes s'avance sur le quai, arme pointée, écailles luisantes dans la lumière :

« Lâchez votre arme, Sarah. On ne vous fera aucun autre mal…

— Sarah, lance Ugo, tu peux t'en sortir ! »

Elle le dévisage, les dents serrées. Ses yeux débordent de rage, les émanations de douleur et de frustration enveloppent son corps d'un lourd nuage.

La seconde pendant laquelle ils s'affrontent du regard dure une éternité.

Sarah plonge son revolver dans sa propre bouche et tire.

Le corps s'écroule lentement dans le gravier, tel un pantin décapité.

Tous les muscles d'Ugo se contractent. Il tombe à genoux avec un long rugissement qui n'a rien d'humain.

Lorsque l'air lui manque, il s'affaisse sur lui-même, étreignant le bébé qui s'est mis à pleurer. Il sent que Bénès le secoue : « Fiston ! Tu aurais pu être tué ! »

Il ne l'écoute pas, il balbutie : « Pardon ! Pardon ! Pardon ! » tout en pressant le bébé contre sa poitrine. Il murmure : « Mais pas toi. Pas toi. N'aie pas peur, petit bonhomme. Je te protégerai. »

Philippe-Aubert CÔTÉ

Chicoutimien exilé à Montréal pour accomplir un doctorat en bioéthique sur les nanotechnologies, Philippe-Aubert Côté est, en période diurne, biologiste, enseignant en histoire des sciences et blogueur sur http://philippe-aubert.blogspot.com/. Aussi vieux que **Les Aventuriers de l'arche perdue**, premier film dont il se souvient, ce primate qui aime le froid rôde sur un territoire compris entre l'Université de Montréal, la Bibliothèque Nationale, la Boîte Noire et les cafés du centre-ville. « Le Premier de sa lignée » est le premier texte d'un cycle qui n'a encore aucun nom.

Voici l'âge de glace

par Claude LALUMIÈRE

Laurine Spehner

Un dégât d'automobiles tordues encombre le pont ; de la glace quantique jaillit en fractales des moteurs, issue des circuits intégrés des tableaux de bord. Elle a percé les châssis, créant de nouvelles configurations aléatoires de cristaux, de technologie et d'anatomie.

Il n'y a pas eu d'avertissement. En un instant, le monde a changé : voici l'âge de glace.

Sur nos bicyclettes, Mark et moi zigzaguons à travers la circulation bloquée à jamais. J'essaie de ne pas regarder trop attentivement tous ces cadavres mutilés. Mais Mark est trop fasciné pour remarquer mon malaise. Trop excité. Enivré, même. Nous avons eu raison de partir, pour tellement de raisons… Son visage est déjà plus éclatant.

« Eh, Martha, tu as vu ce couple, dans la fourgonnette bleue ? »

J'aurais voulu ne pas voir : la glace s'est enroulée comme un serpent autour de leur tête, les écrasant l'une contre l'autre.

« Tu n'as pas vu… »

Non, je n'ai pas vu. Je n'ai pas regardé. Du moins n'ai-je pas essayé. Mark gère la situation à sa propre manière. Je ne peux lui reprocher de procéder autrement que moi. Il ne m'a jamais dit comment il a perdu ses parents ; je ne lui ai jamais dit comment j'ai perdu les miens. Je devrais être insensibilisée à de tels spectacles désormais. Dans la ville, ils avaient fini par faire partie du paysage, nous les ignorions. Nous avions trop froid pour les remarquer. Trop froid pour nous en soucier. À peine sortis de la ville, et nous dégelons déjà, un peu à tout le moins.

Je ne peux me contraindre à lui dire de se taire, alors je me contente de pédaler plus vite. Je traverse le pont Jacques-Cartier à toute allure pour accéder à l'autoroute, où le nombre de voitures diminue avec la distance ; j'abandonne Montréal pour…

… un nouveau monde ? Peut-être. Un monde différent, en tout cas. Je veux simplement trouver un endroit où nous nous sentirons à notre place.

On dit que toute la planète est comme ça, maintenant. Mais comment peut-on en être sûr ? Plus rien ne fonctionne. Pas de télévisions, pas de téléphones, pas d'ordinateurs, pas de radios. Aucun moyen de communication.

Mais on doit avoir raison. Si le reste du monde était encore intact, quelqu'un serait venu à notre secours. L'armée, les États-Unis. Quelqu'un. N'importe qui.

« Martha ! »

Je jette un coup d'œil par-dessus mon épaule ; Mark pédale de toutes ses forces pour me rattraper.

J'aime comme le vent soulève ses longs cheveux noirs. Son sourire est celui d'un petit garçon. Je lui ai déjà pardonné d'être aussi morbide, d'être si profondément plongé dans sa grotesque obsession qu'il n'a pas été capable de remarquer ma détresse.

Depuis que je le connais, Mark m'a toujours protégée. Maintenant, il se relâche un peu. Je l'aime encore plus comme ça.

Il me rattrape, et nous nous arrêtons. Nous contemplons le paysage urbain métamorphosé que nous laissons derrière nous.

Le reflet du soleil m'aveugle presque. La glace couvre l'île de Montréal. Les gratte-ciel du district financier sont transformés en spires macabres et tordues. Les grands hôtels du centre-ville sont gonflés de glace : un léviathan tentaculaire dont les membres sont couverts de tumeurs. Tel un lit de pierres précieuses, la cité étincelle, capturant la lumière du soleil. Même la chaleur générée par toute cette lumière ne peut dissiper le froid. L'air est pénétré d'une froideur automnale, même si c'est la mi-juillet. Le froid émane de la glace. Elle ne fond jamais. Elle est tellement dure qu'elle ne peut même pas se briser.

La Croix Quantique, icône du nouvel ordre urbain, se dresse au sommet du mont Royal.

Je ferme les yeux, pas encore prête à pleurer. Avide d'oublier. Mais les souvenirs arrivent malgré tout.

✦

Je n'ai que fermé les yeux, et le monde a pris une nouvelle forme.

Dimanche après-midi : ma sœur se trouve dans la salle de bain à l'étage, en train d'obséder sur son look. Mes parents sont en route vers l'aéroport pour accueillir grand-maman. Moi : près de la fenêtre du salon, je lis un livre, enroulée dans le fauteuil le plus confortable. Je ne peux pas me rappeler quel livre.

Voici ce que je me rappelle : le ciel était d'un bleu radieux, et l'éclat violent du soleil frappait la fenêtre. J'avais un léger mal de tête : la lecture, la lumière.

Musique : un mix transe/jungle, dans le lecteur de CDs.

J'ai fermé les yeux. La musique s'est tue brusquement. J'ai entendu un étrange craquement. J'ai été baignée d'une vague de froid. J'ai ouvert les yeux. La télévision ressemblait à un mobile cubiste représentant la Voie lactée. À la place du stéréo, une statue cristalline d'un lézard démoniaque couronné de cornes entrelacées. Les lampes étaient maintenant des bouquets surréalistes. Des clous couleur de perle traversaient les murs, surtout près des prises de courant et des interrupteurs.

Dans le lointain, des hurlements se sont élevés, se détachant du silence froid.

J'ai frissonné.

✦

Ma sœur Jocelyne ne rencontrerait jamais plus son petit ami. Dans la salle de bain, à l'étage, je l'ai trouvée avec le crâne, le cou et la poitrine transpercés par la glace qui jaillissait de son séchoir à cheveux.

Je me suis précipitée dehors, dans des rues bordées d'édifices métamorphosés, décorées d'épaves de véhicules difformes. Des fils électriques hérissés de glace pendaient aux poteaux et aux murs, avaient dégringolé partout. Un paysage extraterrestre instantanément transposé sur le quadrillage urbain familier.

J'ai couru. C'était tout ce que je pouvais faire. J'ai couru pour essayer de fuir la zone affectée. J'ai couru, j'ai couru.

Jusqu'à ce que je trouve la voiture de mes parents. Ils étaient répandus sur le cuir des sièges, pulvérisés par la glace.

J'ai regardé autour de moi. J'avais atteint l'autoroute. La transformation était visible jusqu'à l'horizon. Pour la première fois, j'ai remarqué la nouvelle forme de la grande croix électrique du mont Royal : une violente explosion gelée en plein mouvement. Dominant la cité, la croix métamorphosée veillait sur le nouveau monde, affirmant sa souveraineté.

◆

Depuis ce premier jour, je ne m'étais pas aventurée dehors. À quand cela remonte-t-il ? Je n'avais presque plus rien à manger. Je me réveillais de façon sporadique. Quelquefois, je dînais de craquelins rances. J'avais épuisé les conserves en boîte. Depuis combien de jours ? de semaines ?

Dans ce nouvel âge de glace, le bourdonnement incessant de la circulation automobile s'était finalement tu. Le bruit des avions ne descendait plus du ciel.

La cité était silencieuse. Froide et silencieuse. Je sentais ce silence jusqu'au creux de mes os. Le froid s'était glissé en moi, m'avait durcie de l'intérieur, avait ralenti le battement de mon cœur.

Je regardais fixement le paysage immuable à la fenêtre et je me rendormais, pour rêver d'avions muets tombant du ciel.

◆

Même dans mes rêves, je l'ai entendu. Et pourtant, je suis restée endormie. Le bruit de son souffle, inspiration, expiration, a remplacé les moteurs silencieux.

Finalement, je me suis éveillée, sa présence s'est graduellement imprimée en moi. Et alors, je l'ai vu : assis sur le bord de mon lit.

Il a dit : « Allô », sans sourire, sans froncer les sourcils. Patient.

Il avait de longs cheveux noirs, peut-être un ou deux ans de plus que moi – presque un homme. Mais son visage était celui d'un enfant, avec des yeux sombres si grands que j'ai vu profondément en lui, j'ai vu comme il avait été blessé par la froideur du monde. Même si je ne l'avais jamais rencontré auparavant, je l'ai reconnu. En cet instant, je l'ai reconnu.

« Je m'appelle Mark », a-t-il dit, un peu plus qu'un murmure, mais sans inflexion.

J'ai posé la tête sur sa cuisse. De la chaleur émanait du bout de ses doigts calleux, sur mon crâne, me traversant tout le corps, commençant à faire fondre le froid installé en moi. Mes poumons se sont gonflés. L'odeur de sa sueur faisait couler mon sang plus vite. J'ai laissé échapper mon souffle avec un gémissement ensommeillé. Je me suis rendormie. Plus d'avions tombant du ciel. Enfin, le repos.

✦

« La glace quantique. Appelons ça *glace quantique*. » C'est Daniel qui a inventé le terme. L'expression est restée. Nous l'entendions murmurée partout par les Montréalais qui erraient comme des zombies dans leur cité transfigurée.

Daniel était le frère de Mark, mais ils étaient tellement différents. Mark était grand et calme. Beau. Daniel était petit, nerveux. D'un air bizarre, et pas du bon bizarre. Et bruyant. Toujours en train de jacasser, d'écouter ses propres grands discours. Il avait un regard fou, tout le temps à passer d'un point à un autre, incapable de se concentrer sur quoi que ce soit, sur qui que ce soit.

Nous ne voyions pas souvent Daniel. En général, quand il voulait mendier de la nourriture à son frère. Mark désirait qu'il reste avec nous, mais, à mon grand soulagement, Daniel était réticent. Il disparaissait pendant des journées entières, attendait que Mark soit endormi pour s'esquiver.

Daniel avait sa propre théorie quant à l'âge de glace. Une bombe, pensait-il. Une bombe quantique. Le projet d'un département de R&D clandestin, des rebelles d'une quelconque corporation de fabricants d'armes. Il prétendait que sa communauté de blogueurs avait eu coutume de suivre ce genre de choses. Il disait que la réalité, la physique, avait changé à un degré fondamental. Les anciennes technologies ne fonctionnaient plus. Nous avions besoin d'un nouveau paradigme scientifique. Les changements ne s'arrêtaient probablement pas là. Notre corps ne fonctionnait peut-être pas non plus de la même façon. La nature s'était peut-être modifiée. La chaîne alimentaire. L'air. La gravité.

Daniel était un peu plus jeune que moi. Il n'avait sûrement pas plus de quinze ans. C'était le genre de type qui, avant l'âge de glace, se faisait sans doute taper dessus quand il revenait de l'école. Mais l'âge de glace l'avait transformé. Tout le monde a été transformé par l'âge de glace. Daniel parlait avec l'intensité de la folie. Un prophète désespéré de convaincre son auditoire.

Il racontait des conneries. Il était aussi ignorant que nous tous. Personne ne connaissait la vérité. Peut-être que c'étaient des extraterrestres qui avaient produit la glace, ou de la magie, ou bien… Dieu avait peut-être éternué, ou quelque chose du genre. Mais probablement, oui, que c'était une bombe. Est-ce que ça avait la moindre importance ? Nous ne pouvions pas ressusciter les morts. Et puis, il n'y avait aucune preuve que c'était seulement la technologie électrique qui était affectée. Des formations fractales de glace avaient jailli du cœur de nos machines, des fils qui transportaient l'électricité, des circuits et des moteurs alimentés par l'électricité. Il avait fallu tout au plus quelques secondes entre l'instant où tout avait cessé de fonctionner et l'instant où la glace quantique était apparue et s'était diffusée.

L'état du monde : cet étrange nouvel âge de glace.

◆

La société s'était écroulée. Pas de travailleurs sociaux pour ramasser les orphelins. Nous devions nous occuper de nous-mêmes, à présent. Plus d'école. Ça ne me manquait pas. Les andouilles qui reluquaient mes seins nouvellement poussés ne me manquaient pas. Les autres filles qui me trouvaient trop bouquineuse et trop nerd pour être mes copines ne me manquaient pas.

Il y a des peurs qui vous font fuir, et d'autres qui vous font rester. Mark disait que des centaines de milliers de Montréalais avaient déjà quitté la ville. Bien davantage devaient être morts. Au moins un million de gens, d'après nous. Dans les hôpitaux. Dans les voitures. Dans les ascenseurs. Devant les ordinateurs. En utilisant des appareils ménagers. En prenant des photos. En tournant des vidéos. En tirant de la bouffe du frigo. Avoir un cellulaire dans une poche, ça voulait dire se faire transpercer le pelvis par de la glace. La technologie qui déclenchait la glace était omniprésente.

Les cadavres, aussi, se retrouvaient partout. La ville aurait dû puer la pourriture et la matière organique en décomposition, mais la glace préservait tout ce qu'elle touchait. J'ignorais les morts. Chaque jour, où que nous allions, Mark et moi nous voyions des cadavres conquis par la glace, mais nous n'en parlions jamais.

Il y avait encore des milliers de survivants qui étaient restés. Ils erraient dans les rues, perdus, solitaires, à peine conscients de l'existence des autres. Le froid se glissait en chacun.

Mark me gardait au chaud, mais je n'avais pas encore complètement dégelé. Je n'avais même pas encore pleuré. La froideur placide de l'âge de glace, cette totale absence d'émotion, était presque réconfortante.

Ensemble, Mark et moi, nous combattions le froid envahissant.

Nous jouions à cache-cache dans les mails déserts. Les boutiques d'électronique étaient des supernovæ gelées.

Nous explorions les tunnels du métro. La flamme des torches que nous tenions se reflétait sur les floraisons de glace quantique, illuminant notre voie.

Nous marchions sur les toits en nous tenant par la main, avec la cité incrustée de glace étalée à nos pieds.

◆

La nuit, Mark et moi, nous dormions blottis l'un contre l'autre, en cuillères, mais en conservant nos vêtements. Je prenais sa main et je la glissais sous mon chandail, la serrant contre mon estomac. Il se collait le nez contre mes cheveux.

Il se réveillait toujours avant moi. Revenait toujours avec de la nourriture qu'il avait récupérée.

Un jour, peut-être, nous nous embrasserions…

◆

Daniel avait acquis des disciples. Croyant sa propre propagande, il changea son nom pour Danny Quantum. C'était à vous donner la chair de poule, la façon dont ces gens perdus gravitaient autour de lui, lui obéissaient, même. Des orphelins. Des hommes d'affaires en vestons qui avaient connu des jours meilleurs. Des femmes d'âge mûr désespérées, à l'air affamé. Des cybergeeks privés de leur seul moyen d'existence.

Daniel et ses disciples se rassemblaient au cœur de la cité, sur le mont Royal, sous cette chose monstrueuse qui avait autrefois été une croix. Il en avait fait le symbole de sa nouvelle religion. Il n'utilisait pas le mot *religion*, mais c'était bien ça.

Mark m'amenait aux sermons de son frère. Daniel n'utilisait pas le mot *sermon*, mais c'était bien ça.

Des phrases passe-partout réconfortantes teintées de Nietzsche. Du charabia nouvel-âge rationalisé avec du jargon scientifique. De l'animisme cyberpunk. De la pompe catholique mélangée à de l'alarmisme évangélique. De la psychopop érotisée. Du Robert Bly marié à du Timothy Leary.

Nous étions grimpés dans des arbres à la périphérie de l'endroit où les disciples totalement absorbés de Danny Quantum étaient assis pour écouter son sermon. Nous pouvions entendre chaque mot. Daniel savait comment faire porter sa voix. Il était doué pour. Trop.

J'ai dit : « Ne me dis pas que tu crois à toutes ces absurdités. » Pour la première fois, j'ai pensé que je ne pouvais peut-être pas avoir confiance en Mark. Le froid m'a étreint le cœur.

« Bien sûr que non », a-t-il dit. « Mais quelqu'un doit garder Daniel à l'œil. Qui d'autre prendrait soin de lui ? Surtout maintenant. » Mark avait détourné les yeux en parlant.

Pour ce que Mark en savait, son frère était la seule personne qu'il connaissait d'avant qui ait survécu à l'âge de glace – ou qui ne s'était pas enfuie sans un mot après la panique initiale. Que

Daniel était inquiétant, qu'il était dangereux, Mark n'était pas prêt à l'admettre.

✦

Un avion fractalisé bloquait l'intersection de Saint-Laurent et de Sainte-Catherine, la queue relevée par l'édifice incrusté de glace, au coin, et le bout du nez encastré dans la vitrine d'une boutique que la glace avait transformée à l'en rendre méconnaissable. Même la force d'un écrasement d'avion n'avait pu fracasser la glace quantique. Je me suis demandé brièvement si c'était l'avion de grand-maman.

Quelqu'un avait peint une croix métamorphosée sur la coque, avec en dessous les mots *La Croix Quantique de l'Âge de Glace*. Ce jour-là, où que nous allions, nous remarquions des graffitis récents de la Croix Quantique, sur l'asphalte des rues, les vitrines, les trottoirs, les murs de briques, les blocs de béton.

Le jour suivant, Mark et moi sommes allés en bicyclette jusqu'à l'aéroport pour contempler les avions : de massifs dinosaures aux membres de glace, de résidus sanglants, de métal et de plastique.

Avant de revenir à la maison – ni mon ancien domicile ni celui de Mark, mais un appartement abandonné, près de l'Université McGill, dont les fenêtres ne donnaient pas sur le mont Royal – Mark voulait vérifier où en était son petit frère. Ces jours-ci, Daniel ne quittait plus la montagne. Ses acolytes lui apportaient à manger. S'apportaient eux-mêmes.

J'ai protesté : « Je suis trop fatiguée pour pédaler jusque là-haut. » À la vérité, j'étais de plus en plus mal à l'aise dans les parages de Daniel et de ses sycophantes, et j'avais hâte de tomber dans les bras de Mark, même si le soleil n'était pas encore couché.

Il a insisté.

Nous avons donc gravi le chemin de gravier sinueux, en rencontrant de temps à autre des disciples de Daniel. Malgré le froid, ils portaient des t-shirts blancs – pas de manteau, pas de veste, pas de chandail. Sur les t-shirts, il y avait des lignes épaisses et dégoulinantes, en rouge, grossièrement tracées : des effigies sanglantes de la Croix Quantique.

Quand nous sommes arrivés à la croix elle-même, là où était assemblée la congrégation de Daniel, j'ai remarqué que tous étaient vêtus ainsi ; ce n'étaient plus des individus mais une ruche dotée d'un seul esprit. Celui de Danny Quantum.

✦

J'ai d'abord entendu les chants. Mark venait de me battre au croquet pour la troisième fois d'affilée. J'ai regardé autour de moi et je les ai repérés : au sud du terrain de croquet, une vingtaine de gens qui descendaient du pont Jacques-Cartier vers Montréal.

L'un d'eux nous a montrés du doigt et le groupe s'est dirigé vers nous. Ils faisaient des signes de bras tout en chantant. J'ai cru reconnaître le morceau. Un truc des années soixante. Le genre de musique que mes parents écoutaient.

Mark a agité le bras en retour. Il a dit : « Agrippe-toi à ton maillet. Si ça se gâte, vise la tête et donne-leur un coup de genou dans les couilles. »

Ils semblaient inoffensifs. À peu près autant d'hommes que de femmes. Cheveux longs, habits faits à la main, bijoux genre branchés prétentieux. Une bande de hippies des Derniers Jours. Arrivés à la limite du parc, ils ont cessé de chanter. J'en ai remarqué plusieurs qui avaient plutôt l'air de motards. J'ai resserré ma prise sur le manche du maillet.

Un seul d'entre eux s'est avancé vers nous. Celui qui avait plus l'air *Fièvre du samedi soir* que *Hair*.

Il a dit : « Paix. »

Mark a répondu : « Salut. Vous venez d'où, vous tous ? »

« Je suis de New York. Mais on vient de partout. Le Vermont. Ottawa. Le Maine. Sherbrooke. »

Mark a demandé : « Alors, c'est partout comme ici ? »

« C'est comme ça partout où on est passés. Le monde entier a changé. Tant de morts tragiques. » Mais il avait presque un ton joyeux, comme une pub à la télé.

Mark a poussé un petit grognement. Il y avait quelque chose chez Fièvre-du-samedi-soir – ses yeux calculateurs, sa voix de vendeur de bagnoles usagées – qui me l'a rendu immédiatement suspect.

« Vous êtes seuls, tous les deux, les jeunes ? C'est plus sécuritaire de rester en larges groupes. Nous rassemblons des gens pour créer une commune. Pour survivre dans ce nouvel âge. Pour repeupler. Nous avons besoin d'enfants. D'enfants robustes et en bonne santé. »

Il m'évaluait du regard, en s'attardant sur mes hanches. J'ai raidi les bras, prête à frapper. Mark a changé de position, en s'interposant entre moi et le regard de Fièvre-du-samedi-soir.

« Eh bien, je vous souhaite bonne chance. Ça a l'air d'un beau grand projet. »

« Toi et ton amie, vous devriez vous joindre à nous. Nous serions heureux de vous accueillir. » Il s'adressait à Mark, mais ses yeux revenaient toujours vers mon corps.

« Merci, mais on est bien ici. C'est chez nous. »

Trois des hommes de ce groupe étaient massifs. Comme des lutteurs. Mark et moi ne pourrions les arrêter s'ils décidaient de m'ajouter de force à leur usine à bébés.

« Vous êtes sûrs ? »

« Ouais. De toute façon, on devrait y aller. Bonne chance. » Mark m'a pris la main et nous nous sommes éloignés, sans lâcher nos maillets.

✦

Mark dormait. Il ne le savait pas, mais pendant les deux nuits précédentes j'étais restée éveillée.

Il avait la bouche entrouverte et il ronflait presque. J'aimais tous ses bruits, même ses bruits idiots. J'ai suivi de l'index le contour de ses lèvres. Ça ne l'a pas réveillé, mais il a poussé un petit gémissement. C'était un bruit délicieux.

Je l'ai contemplé toute la nuit, en le scrutant en détail.

L'aube s'est levée. Quand Mark a remué, j'ai fait semblant de dormir.

✦

La nuit où Danny Quantum et ses disciples ont commencé à sacrifier des chats et des chiens, j'ai dit à Mark : « Il faut partir. »

J'étais enfouie sous trois couches de chandails, mais le froid était tout de même mordant. Même la chaleur, autour des feux de la Croix Quantique, n'arrivait pas à me réchauffer. J'étais tentée de m'appuyer contre Mark, pour la chaleur, pour le réconfort, mais je devais lui parler, et pour ça je devais rester concentrée.

« Tu es fatiguée ? »

« Non. Je veux dire, partir. Quitter l'île. Laisser tout ça. Trouver un autre endroit où vivre. Quelque part, loin. Quelque part de moins dangereux. »

Je voulais qu'il dise *Oui, j'irai n'importe où avec toi.*

Il a dit : « Qui protégera Daniel ? Si je pars, il va juste s'aggraver. Il sera perdu pour toujours. »

« Alors parle-lui. Oblige-le à arrêter ça avant… »

« Ce n'est pas si facile. Pas si simple. Il n'entend pas ce qu'il ne veut pas entendre. C'est sa façon d'affronter la situation. Nous avons tous trop perdu. »

« Tu sais où ça se dirige. On fera bientôt des chiches-kebabs humains pour satisfaire la mégalomanie de Danny Quantum. Pour remplir les ventres affamés de son troupeau. »

Je ne l'ai pas regardé. Je ne voulais pas que ses yeux sombres me fassent changer d'avis. J'ai contemplé les feux qui brûlaient au pied de la Croix Quantique. J'ai regardé Daniel, qui se pavanait en criant. Comme le maniaque qu'il était.

« Je pars demain matin. Loin de Daniel. Très loin. Pour trouver un endroit où cultiver de la nourriture. Un endroit avec de l'eau fraîche. J'irai vers le sud, peut-être. »

Pouvais-je partir sans Mark ? J'avais envie de l'embrasser. Peut-être que je ne l'embrasserais jamais… Après tout ce que nous avions partagé, le froid nous étreignait encore le cœur.

« Non, Martha. Ne m'oblige pas à choisir. » Il se détourna pour regarder son frère, au loin. Quand il reprit la parole, sa voix était ferme, assez ferme pour cingler. « Et puis, on a toujours vécu en ville. Que connais-tu de l'agriculture ? Tu ne saurais même pas trouver à manger dans la nature. »

« On peut apprendre à survivre. » Malgré moi, le doute s'était insinué dans ma voix.

Est-ce que j'étais prête à rester et à laisser cette histoire jouer jusqu'à sa fin, malgré les horreurs inévitables ? Où que je me retrouve loin d'ici, il y aurait peut-être d'autres Fièvre-du-samedi-soir, d'autres Danny Quantum. Ou peut-être pire.

L'un des disciples de Danny a tendu un bâton de bois à Mark. Un chat rôti était empalé dessus.

J'ai dit : « Tu vas manger ça ? »

Il a dit : « J'irai avec toi. N'importe où. »

✦

J'ai le vent dans la figure. L'odeur de l'herbe et des arbres me chatouille le nez. Je fonce sur la route déserte.

Mark est avec moi. Il rit. Je ris aussi.

Dans les champs, il y a des vaches. Des chevaux. Des chiens. Parfois des gens.

Certains nous font signe en souriant. D'autres nous tirent dessus pour nous tenir à l'écart.

Nous ne sommes pas encore prêts à nous arrêter.

Claude LALUMIÈRE

Traduction : Élisabeth Vonarburg
Parution originale : « This Is the Ice Age » *in* **Mythspring : From the Lyrics and Legends of Canada**, *Red Deer Press, 2006.*

Malgré ses origines francophones, l'auteur, critique et anthologiste montréalais Claude Lalumière œuvre en anglais. Parmi ses anthologies, on peut compter **Island Dreams : Montreal Writers of the Fantastic, Open Space : New Canadian Fantastic Fiction** et **Tesseracts Twelve**. « This Is the Ice Age » fut sélectionné pour l'anthologie **Year's Best SF 12**, dirigée David Hartwell et Kathryn Cramer, et traduit en polonais pour l'anthologie **Kroki w nieznane : almanach fantastyki 2007**. « This Is the Ice Age » fait partie du curriculum du cours de SF enseigné par Andy Duncan à la University of Alabama.

La Fin du conte

par **Pascale RAUD**

Laurine Spehner

Il vient encore de passer plusieurs heures devant son ordinateur. La sécheresse créatrice qui le tient à la gorge depuis six mois commence à ressembler à un désert sans fin. Cela ne lui est jamais arrivé auparavant. Il se sent tranquillement devenir fou.

Il descend sur la plage respirer l'air du large. Il veut oublier pendant au moins un moment le calvaire qu'il s'impose chaque jour : s'asseoir, écrire, effacer, écrire encore, tout recommencer. Le silence de la nuit n'est troublé que par le bruit du ressac. La lune éclaire faiblement la crique enclavée entre les deux falaises. Les yeux levés vers le ciel sans étoiles, il fume sans se presser, appréciant la sensation du sable mouillé qui se dérobe sous ses pieds nus. Il aime l'âpreté des galets qu'il rencontre parfois.

Il s'apprête à rentrer lorsqu'il voit les créatures, à quelques mètres du rivage. Leur chevelure flotte à la surface de l'eau, laissant seulement affleurer leurs petits yeux brillants.

Étrangement, il ne se sent pas effrayé et s'assoit sur une roche plate à fleur d'eau pour mieux les observer. Il finit sa cigarette sans hâte, puis il ne fait plus rien d'autre que les regarder.

Ils se contemplent longtemps ainsi, lui et les créatures. Enfin, alors que l'aube pointe à l'horizon, l'une d'entre elles lève lentement un bras nu. De l'index, elle lui indique un point situé au sol, proche de ses pieds, puis elles plongent et disparaissent sans un bruit.

Il baisse les yeux. Il y a là une petite roche ovale qu'il n'avait pas encore remarquée, d'un noir si pur qu'il en est éblouissant. La prenant dans une main, il en caresse lentement la surface, suivant de l'index le dessin compliqué incrusté au centre : un cercle avec en son milieu un œil. L'œil est relié au cercle par quatre lignes qui forment des angles droits parfaits. À l'intérieur de l'œil, un motif fait de trois branches recourbées semble tourner autour d'un centre imaginaire.

Il met la pierre dans sa poche puis se décide à rentrer. Quelles étranges créatures… Il gravit la courte pente qui sépare la plage de sa maison, héritage de ses parents morts trop tôt. Avant de se coucher, il consulte son livre sur les symboles, car il est sûr d'y avoir vu celui de la pierre. Oui, c'est un triskèle, mais simplifié. Les Celtes représentaient de cette façon la spirale de la vie ; c'était pour ainsi dire un symbole de renaissance. Étrange qu'un tel signe soit gravé sur un caillou. Il ferme les volets en bois lourd de sa chambre pour créer une pénombre suffisante, pose la pierre bien en vue sur le chevet et se couche tout habillé sur le lit.

Incapable de fermer l'œil, il se relève après une heure. Le corps tremblant d'une fièvre qu'il n'a pas connue depuis plusieurs mois, il s'installe à son ordinateur, qui n'est jamais éteint, et commence à écrire. Il écrit pendant des heures, complètement survolté. Lorsqu'il se couche, en début d'après-midi, avec un sourire extatique, il sait qu'il est sur la bonne voie. Il presse la pierre contre ses lèvres et s'enfonce dans un sommeil profond.

Lorsqu'il se réveille, la nuit est tombée et les étoiles brillent bien haut. Il se sent pâteux, vide. Il lui semble avoir rêvé d'une rencontre fugace avec des créatures aquatiques sur la plage en bas de chez lui, puis d'une pierre gravée trouvée dans le sable. Il se lève avec peine, se frotte lentement le visage des deux mains et cherche ses cigarettes. Elles traînent sur le bureau, près de l'ordinateur. Mais où sont les allumettes ? Sous l'écran, bien sûr… Il déplace la souris emmêlée dans son fil et repousse le clavier. L'écran de veille cède la place à un fichier qu'il ne se souvient pas d'avoir ouvert. Il s'assoit pour lire le texte qui s'étend sur vingt pages, puis reste à méditer. Il ne se rappelle pas l'avoir écrit. Un léger picotement dans le dos le fait se retourner et se précipiter à la porte d'entrée. Verrouillée. Mais qui entrerait dans une maison privée pour y taper un texte, puis s'en aller comme si de rien n'était?

Il se met à chercher la petite pierre ovale. Rien sous le lit, ni sur ou sous le bureau. Il se dirige vers la fenêtre, glisse entre ses lèvres une des cigarettes du paquet qu'il a toujours en main, ouvre les volets et remarque enfin qu'il fait nuit. Il pourrait peut-être retourner sur la plage... Il sort de la maison, ramassant au passage les allumettes.

La nuit est belle, troublée par le seul bruit des vagues. Il allume sa cigarette et scrute le rivage. Pas de vent, cette nuit. Il s'assoit sur la roche plate. Son rêve en était-il un? Il attend, il ne sait pas quoi. Après un long moment, il s'allonge sur le sable.

L'aube le trouve endormi. Une mouette matinale lui lance un cri affamé en plein visage. Tout en la chassant d'un mouvement instinctif, il assoit son corps endolori. Alors qu'il prend appui sur le sable pour se lever, sa main se pose sur un caillou. Il devine immédiatement: la petite pierre ovale.

Il la soulève à la hauteur de ses yeux et en caresse de nouveau le dessin finement gravé. Avec un sourire, il regarde vers l'horizon, mais les eaux sont calmes, il n'y a personne. Il met la pierre dans sa poche, se décide à rentrer. Il sait déjà qu'il ne dormira pas.

Aussitôt dans sa chambre, il ferme les volets, s'installe à l'ordinateur, pose la pierre près du clavier et commence à écrire. Il s'arrête seulement pour étancher une soif insatiable. En début d'après-midi, il se rend compte qu'il n'a pas mangé depuis au moins vingt-quatre heures, mais il n'a pas faim. Il se sent léger, immatériel, totalement détaché. Mais il a soif, tellement soif! Il se couche enfin dans la pénombre artificielle de la chambre après avoir bu plusieurs grands verres d'eau.

À son réveil, à la nuit tombée, il cherche immédiatement la pierre. Elle n'est plus là. Attend-elle son sommeil pour disparaître? Mais pourquoi a-t-il si soif? Il boit longuement. Il jette un coup d'œil sur l'écran de l'ordinateur: il a encore écrit. Il se souvient seulement de sa sensation d'euphorie. Il relit le texte avec attention. C'est si parfait qu'il en est stupéfié. Est-ce vraiment lui? Il songe vaguement à manger, mais descend à la plage. Il n'a pas non plus envie de fumer.

La légère brise du soir lui rafraîchit le visage. Il se déshabille entièrement et s'allonge sur le sable fin, les bras en croix. Il a toujours aimé la sensation des minuscules grains dans son dos, leur masse compacte et fuyante. Il aime la caresse du vent. Il aime ce silence qui lui donne le vertige de se savoir vivant au milieu d'une solitude sans fin. Il ferme les yeux pour mieux sentir la terre tourner sous lui. Il aimait déjà cette sensation enfant, lorsqu'il attendait le sommeil. L'impression que le lit tourne dans la pièce, puis l'inexorable aspiration dans le néant. Il sourit à cette évocation. Il se retourne sur le ventre, la tête sur le côté, s'enfonce plus encore dans le sable. Il n'a jamais été si heureux qu'en cet instant de total abandon.

L'image de la pierre gravée s'impose à lui. Il en comprend confusément la signification sans vraiment vouloir en percer le mystère. S'il l'élucide, il sent qu'une partie de son bonheur présent s'évanouira, et il ne veut ni le perdre ni le partager. Il ne peut expliquer pourquoi, mais la pierre fait désormais partie de lui. Et pourtant, il voudrait savoir. Il sombre dans un demi-sommeil agité par les visions fugaces d'un triskèle se déformant et se reformant à l'infini, dont les branches tournent et se déroulent, vivantes et tentaculaires spirales.

Il s'éveille alors que la nuit est toujours là. Il perçoit tout de suite la présence : les créatures l'observent sans bouger. Depuis combien de temps sont-elles arrivées ? C'est le moment. Il s'immobilise, les yeux plissés par l'effort qu'il met à ne pas ciller, retenant son souffle pour ne pas briser cet instant fragile. Il en a mal dans tout le corps.

Ce sont elles qui prennent la décision : aussi soudainement qu'elles lui sont apparues, elles se mettent toutes en mouvement et plongent. Toutes, sauf une. Comme répondant à son désir muet, elle lui fait signe de s'avancer. Il acquiesce en silence et s'enfonce dans l'eau calme jusqu'aux épaules. Le froid qui pénètre brutalement lui coupe le souffle un instant, puis la morsure s'adoucit, l'enveloppe. Il lui semble que sa peau respire, apaisée. Une fois assez proche de la créature pour discerner le noir profond de ses yeux sans iris, il s'arrête, frappé par sa beauté dangereuse. Et rompt enfin le silence.

« Qui es-tu ?

— As-tu vraiment besoin de le savoir ? » Elle a maintenant sorti entièrement sa tête hors de l'eau, il peut voir son sourire froid et ses cheveux argentés qui flottent autour d'elle. Il n'a pas l'impression que les lèvres bleutées de la créature ont bougé. Elle est trop loin pour qu'il la touche, mais il a la sensation qu'elle murmure à son oreille.

« Sais-tu toi-même qui tu es ? »

Il n'en est plus du tout certain. Jusqu'à il y a six mois, il était conteur. Il écrivait des histoires qu'il présentait ensuite sur scène. Il était fait pour ça. Mais il est désormais incapable de donner vie au moindre personnage. Il hésite.

« Cette pierre... a-t-elle un pouvoir ? »

La créature ne répond pas et commence à se déplacer autour de lui, sans bruit. Il la sent passer derrière son dos. Quelque chose de glacé lui frôle les hanches. Il ferme les yeux un instant.

« Allez-vous me la reprendre ? »

La créature continue son lent mouvement giratoire. Cette pierre n'est entrée dans sa vie que depuis deux jours, mais il ne peut plus envisager d'en être séparé. Et pourtant, le dessin qui y est gravé... Le triskèle, c'est la vie dans toute sa complexité : naissance, mort, renaissance. La seule certitude qu'il ait jamais eue : dans la vie comme dans les histoires, toujours une fin, la seule égalité dans l'univers.

« Je voudrais la garder. »

Son angoisse n'obtient aucune réponse. La créature s'approche si près qu'il sent son souffle sur sa peau. Il n'arrive pas à déceler d'émotion sur ce visage. Elle l'observe longuement. Ses yeux sont deux fentes noires à peine perceptibles. Après d'interminables minutes, elle plonge avec agilité et disparaît sans un remous, le laissant à nouveau seul. Il sort de l'eau, le cœur gelé, s'écroule sur le sol et sombre dans l'inconscience.

Lorsqu'il se réveille, la mâchoire douloureuse et le corps blessé, le soleil émerge au loin. Désorienté, il commence à remonter la plage avec lenteur, oubliant les vêtements abandonnés en tas la veille au soir. À mi-chemin, il s'aperçoit qu'il a les mains vides, fait demi-tour en courant, tombe à genoux, cherche fébrilement autour de lui. Rien. Il serre les dents, au bord des larmes. Il n'aurait jamais dû lui demander s'il pouvait la garder.

Il rentre chez lui, toujours nu, meurtri jusqu'au fond de l'âme. Fiévreux, tremblant, il boit de l'eau au robinet, encore et encore. Puis il s'assoit à son ordinateur, attend en vain l'inspiration. Il a le goût métallique du désespoir dans la bouche. Il lui semble que son cœur va s'arrêter. Une plainte indistincte s'échappe de ses lèvres entrouvertes, devient un hurlement désespéré, puis laisse place aux larmes brutales qu'il retient depuis l'aube. Il pleure longtemps, en gémissant sourdement entre ses sanglots.

Quand il est vide de pleurs, il se lève, incertain. Il se dirige enfin vers la salle de bain, y fait couler un bain froid dans lequel il s'allonge. Son corps tout entier a soif. Il se laisse flotter, inutile et

vain, mais apaisé. Il boit un peu de l'eau fraîche dans laquelle il
baigne. Il y est bien, comme cette nuit sur le sable, centre de son
propre univers tel le triskèle incrusté dans l'œil, spirale de vie au
centre d'un monde délimité par des frontières illusoires. Il sourit,
presque heureux.

À la nuit tombée, provisoirement revigoré par son bain glacé,
il sort de chez lui, aussi nu que lorsqu'il y est entré. Arrivé à la
plage, il ne voit qu'une étendue de sable lisse. Pas de pierre. Pas
d'espoir. La pierre ne lui reviendra plus jamais, il le sait.

Il s'avance dans l'eau jusqu'à la taille et regarde la lune qui
illumine magnifiquement le rivage. Son corps n'existe plus,
écorce vide de sens. Immobile et calme, il accepte la douleur. Il
choisit.

✦

Flottant sur le dos, il se laisse dériver, les yeux clos. Il est déjà
loin du rivage lorsqu'elles viennent le chercher. Il les a mentalement appelées de toutes ses forces, souhaitant qu'elles entendent
sa prière. Maintenant, elles sont là, entre deux eaux, immobiles
et silencieuses. Elles attendent qu'il soit prêt. Il ouvre les yeux,
contemple une dernière fois le ciel infini et dit enfin : « Oui. »

Elles déploient alors leurs longs tentacules, qui s'enroulent
autour de son corps, et l'attirent lentement. Il inspire une dernière
fois et rejoint les profondeurs, les yeux toujours ouverts.

Pascale RAUD

Née en France en 1976, mordue de livres depuis l'enfance,
Pascale Raud entre en librairie comme on entre en religion
dès l'âge de seize ans. Après des études secondaires en
lettres et philo, elle obtient une maîtrise en langues étrangères, immigre au Québec en 2001... où elle a été longtemps libraire. Collaboratrice de **Solaris** depuis 2004,
notamment pour sa chronique « Sur les rayons de l'imaginaire », coordonnatrice de la revue (et aussi d'**Alibis**)
depuis 2007, « La Fin du conte » est sa première fiction
publiée.

Zeitnot

par **Ariane GÉLINAS**

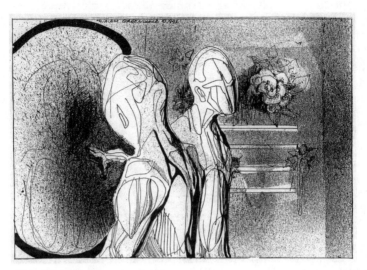

Miriam Greenwald

Vingt-deux heures seize.

Les yeux d'Aeon se posèrent sur l'horloge massive qui occupait tout un coin de la pièce. Un fort bel objet d'antiquité, très recherché par les collectionneurs, avides de représentations archaïques. Mais en dehors du cercle extrêmement fermé des « adorateurs du passé », nul n'aurait osé nier la prédominance du numérique. À quoi bon s'embarrasser d'une telle structure, lorsqu'il était possible de se faire insérer sous la peau un régulateur indiquant même les millièmes de seconde ? Sans compter l'avertisseur intégré, cet agenda personnel ultra-ponctuel qui permettait une gestion optimale en réseau des opérations fonctionnelles. C'est en tout cas ce que s'évertuaient à répéter les publicités diffusées à intervalles rapprochés sur le panneau principal de la place centrale. De la fenêtre exiguë de son bureau, Aeon pouvait aisément le consulter, comme n'importe quel citoyen de la Citadelle soucieux de s'actualiser. L'écran avait été confectionné pour offrir une vision panoramique, accessible sous tous les angles.

Aeon fit quelques pas et gagna le balcon qui bordait son bureau, situé au dernier étage d'une tour regroupant à la fois des logements et des aires de travail. Sous ses pieds – la plate-forme était transparente –, il ne voyait qu'un brouillard blanchâtre, qui ondoyait lentement, la fumée se dissipant dans l'atmosphère. L'horizon était plus clair, cerné de lumières électriques, dites « dynamiques », variant selon une programmation étroitement étudiée.

Du sommet de la Tour, Aeon surplombait l'ensemble dense formé par la Cité, les édifices du centre-ville qui jouxtaient les banlieues annexées, reliées par un réseau routier arachnéen. Ses employeurs, reconnus pour leur rigueur, l'assuraient de la parfaite éthique de leur entreprise. Il était un *constituant* important et sa fonction requérait de la froideur en même temps que de la minutie, comme le spécifiait le descriptif des tâches.

Ainsi, chaque après-midi, à quatorze heures vingt-trois minutes trente-sept secondes et huit millièmes, Aeon recevait par courriel la liste des trépassés désignés, soigneusement classés par localisation.

Il consulta d'un regard rapide son avertisseur, en observant distraitement le ciel, d'un bleu marine maladif. La nuit s'étendait, et en bas, les gens mourraient, tandis qu'il veillerait, saturé de caféine, les yeux rivés sur les écrans, en faisant systématiquement craquer ses jointures. De temps à autre, il appuierait sur une touche lorsque le programme hésiterait, la plupart du temps pour une question d'homonymie ou de matricules déficients.

Aeon soupira, retourna prestement à l'intérieur. Le curseur clignotait, impassible ; il le fixa d'un œil gris – creux et cireux.

Ananké avait précisé qu'elle viendrait à vingt-trois heures cinquante-trois – approximativement. Entre-temps, il avait quelques tâches de planifiées. Il passa la main sur son crâne lisse, sur son visage glabre. Il planifia un nettoyage sommaire pour onze heures quarante et attaqua la première fiche en buvant une gorgée de café sucré.

I

Dans la salle de croissance, les enfants couraient entre les incubateurs, vastes boîtes rectangulaires bardées de fils tentaculaires, sur les parois desquelles clignotaient le temps et les directives de gestation.

Une *auxiliaire* tenta de les poursuivre, mais les deux jeunes garçons lui échappèrent facilement, trouvant refuge dans un congélateur immense où s'entassaient des organes en attente de transplantation. Le plus âgé des deux, Aether, ordonna à son compère de se taire, un doigt pressé sur ses lèvres bleuies. Ses yeux verts brillaient anormalement.

Il lui réexposa les grandes lignes de la *mission*.

Il avait remarqué que son père employait régulièrement un médicament injectable, surtout en matinée, lorsqu'il rentrait exténué du travail au sommet de la Tour. Il sortait en fulminant de l'ascenseur qui liait son bureau à leur appartement, tandis que sa mère, considérée par plusieurs comme une excentrique, s'affairait sur la machine à coudre industrielle qu'elle avait fait installer dans le logement attenant et qu'elle surveillait attentivement. En effet, ces mécanismes s'empêtraient facilement dans leurs fils lorsqu'ils étaient employés de manière automatique, et les points irréguliers sur les combinaisons de travail déplaisaient particulièrement aux consommateurs. Sa mère avait trouvé pour sa défense que ces défauts conféraient aux pièces leur personnalité ; on l'avait sanctionnée pour cet argument. Il ignorait comment exactement, elle n'en parlait jamais ; elle préférait se taire et se concentrer sur ses aiguilles.

Quoi qu'il en soit, Aether avait avisé cette trousse dont usait son père à l'aurore, affalé en face du transmetteur, les informations défilant par saccades devant ses yeux vitreux.

Aether feignait alors de s'amuser sur son ordinateur portable, dans sa solitude usuelle. En dehors des enfants du centre de garde – ils devaient être onze dans l'intégralité de la Tour – et de ses parents, il n'avait de contacts avec personne. Son père lui répétait souvent qu'il était handicapant, qu'il aurait pu se libérer d'un tiers de travail si sa mère n'avait pas omis de lui préciser qu'elle n'avait pas subi l'ablation de l'utérus, comme les quatre cinquièmes des femmes. Il semblait cependant oublier ses seize heures de travail réglementaires lorsque l'aiguille perçait doucement son bras, le médicament se dispersant dans ses veines délicates. Et l'opération se répétait jusqu'au renouvellement de la prescription, tous les trente jours, son père rapportant un contenant transparent dans lequel frémissait un liquide d'un vert absinthe, vaporeux comme de l'éther.

Par une suite de stratagèmes, Aether était parvenu à subtiliser deux doses de l'intrigant fluide et à les enfermer dans un petit flacon, qu'il avait dissimulé sous la doublure de sa combinaison.

Quant à la seringue, il n'avait eu aucun mal à en dérober une dans la salle de gestation, tandis que le jeune qui l'accompagnait créait une diversion.

Ils allaient maintenant pouvoir essayer ledit médicament, si formellement interdit aux enfants.

Aether administra une dose à son acolyte, en se réservant la plus importante.

Bientôt, ils ne perçurent plus le froid du congélateur qui rongeait leurs os, mais seulement une impression de flottement. En peu de temps, ils ressentirent un bénéfique engourdissement qui alla en augmentant.

Leur poursuivante les retrouva par hasard quelques heures plus tard, tandis qu'elle venait prélever un ventricule gauche dans le congélateur.

Les deux petits corps avaient durci ; dans la main du plus grand, une seringue s'était cassée, le vert colorant se mêlant à la glace qui recouvrait en partie les enfants. Elle referma la porte du congélateur et avisa de sa découverte sa superviseure.

Suppression des entités suivantes :
P11462016t
A59083647v

Aeon appuya distraitement sur *Entrée*.

Sur l'écran, un message de confirmation s'afficha.

A59083647v...

Il cracha sa gorgée de café sur le moniteur. *Aether.* Il vérifia le numéro de matricule une seconde fois, vit ses impressions confirmées. Il venait bien d'effacer les coordonnées d'Aether de la base de données. *C'est Ananké qui allait pester, elle était plutôt attachée à celui qu'elle nommait son fils.*

Il ouvrit une liaison téléphonique, hésita.

Non. Il l'informerait lorsqu'elle le rejoindrait dans la Tour.

En attendant la prochaine tâche planifiée, il disposait d'une courte pause. Il étira le bras et s'empara d'un magazine défraîchi où s'étalaient en couleurs des intérieurs du XXIᵉ siècle, les pièces croulant sous les décorations obsolètes. Il s'enfonça dans son siège, caressa du revers des doigts les images lustrées. De si parfaites antiquités. Sa seule faiblesse. Faiblesse qu'il partageait avec le chien de garde qui lui avait été assigné, l'animal – fort attaché à son maître – veillant principalement sur le matériel informatique. Le chien – qu'il avait tendrement nommé U2-2616 – vint se coucher sur ses bottes. La vieille pendule marquait vingt-trois heures huit. Il eut une pensée pour Aether puis se mit doucement à sourire. Dès demain, on le délesterait d'un tiers de travail.

II

Les quotidiens s'étaient emparés de l'affaire des frères Mat comme d'un infect scandale, la qualifiant de « crime contre l'humanité ». Il faut dire que les frères Mat, la jeune vingtaine, arboraient des allures de bohèmes, refusant d'adopter de bon gré les Conformités, telle l'absence totale de pilosité. L'allure négligée des personnages n'avait pas été sans intimider les jurés chargés de les juger, tandis que les frères prenaient place sur le banc des accusés. Une telle propension à la contradiction, jointe à l'affront qu'ils avaient osé perpétrer, fit qu'on classa l'affaire en un rien de temps.

Coupables.

Le crime n'était pas banal. Pendant une période d'un an, six mois et vingt-sept jours, ils avaient séquestré pas moins de dix-huit femmes, toutes fertiles, et les avaient fécondées à tour de rôle. Les génitrices, maintenues immobiles les trois quarts du temps sur un lit cadenassé – le quart restant étant consacré à des exercices sous surveillance –, menaient donc à terme leurs grossesses, leurs ravisseurs subtilisant ensuite leur progéniture, qu'ils confinaient dans une pièce hermétique. « Dans cette chambre, avait raconté l'aîné, nous avions installé des lits de subsistance qui permettaient la bonne croissance des nouveau-nés, couvés les premiers mois dans une matrice substitutive. » Quinze enfants avaient été trouvés dans la chambre – les frères confessaient que certains bébés étaient mort-nés mais que l'une des femmes leur avait fait don de triplés – et confiés à l'État, dont ils étaient à présent l'entière propriété. Après tout, il revenait à ce dernier d'autoriser les natalités, celles-ci étant régies par de strictes procédures.

À la question primordiale du *Pourquoi*, le plus jeune des frères Mat avait répondu qu'ils souhaitaient instaurer les bases d'une société exempte de servitude, dans laquelle aucune entité ne serait affublée d'un localisateur. Dans le sous-sol de leur habitation – une vieille maison aux confins de la ville –, ils avaient aménagé plusieurs pièces destinées à recevoir les enfants, remplies de livres et de jouets, ainsi que d'autres objets jugés désuets.

On les qualifia d'utopistes, d'anarchistes.

La sentence fut prononcée : mort par injection massive de psychodysleptiques, la combinaison de ceux-ci provoquant une angoisse semblable à celle d'un cauchemar amplifié. Le rêveur, dans un état d'éveil halluciné, en venait donc inévitablement au décès, par incapacité à assimiler la tension ressentie.

La date de l'exécution fixée, les médias s'occupèrent de diffuser en direct l'événement.

Vingt-trois heures quinze.

Quatre gardes de sécurité immobilisèrent les deux frères sur les chaises réglementaires, puis comprimèrent leurs chevilles et poignets dans des fermoirs métalliques.

On montra d'abord à l'assemblée un montage récapitulatif des actes commis par les condamnés ; dans l'une des séquences, l'un des frères pénétrait vigoureusement une femme attachée – ils avaient eu l'audace de tout filmer ; dans une autre, ils procédaient à un accouchement, affairés entre les cuisses de la mère gémissante.

L'indignation de la foule grimpa, perceptible.

« L'exécutant » s'avança lentement, tout sourire devant les projecteurs. Il exhiba la première seringue, dans laquelle bouillonnait un liquide noir opaque, à l'aspect goudronneux. Il s'approcha de l'aîné, qui se débattait en vain, et pressa avec application le piston ; le poison pénétra dans le sang et s'y fixa. L'homme répéta l'opération avec le cadet, qui gémissait indistinctement, les traits tordus derrière un long rempart de cheveux châtains. Les yeux verts du plus jeune des frères vacillèrent. Un abîme les remplaça, un vide létal où s'enchâssaient les ombres, qui décomposaient son visage pendant que les craintes proliféraient, que les cauchemars le possédaient.

Le cadet hurla le premier, bientôt imité par son aîné, le visage déformé. Nul doute qu'ils se le seraient lacéré si leurs mains n'avaient été aussi solidement liées ; de leurs gorges montaient des échos qui grimpaient en un impossible crescendo, au rythme croissant de leur délabrement.

Exactement trois minutes et quarante-sept secondes plus tard, l'angoisse atteignit son paroxysme chez le cadet, qui s'immobilisa définitivement. À quatre minutes et douze secondes, son frère abdiqua, ses mains décharnées retombant mollement sur les accoudoirs. Il flottait dans l'air un rance parfum de pestilence, qui serait bientôt neutralisé par l'équipe hygiénique, déjà à l'œuvre.

L'exécutant se tourna vers le public et s'inclina gracieusement devant les applaudissements.

Visualisation des Profils.
Aeon parcourut les fiches avec curiosité, se remémorant le déferlement médiatique qui avait entouré l'incarcération des frères Mat, ces illuminés aux tendances prométhéennes.

Il supprima de bon gré leurs entités, en caressant distraitement le chien qui s'était endormi près de lui, sa tête posée sur ses cuisses, un long filet de salive s'échappant de sa gueule entrouverte.

Il regarda l'horloge antique.
Vingt-trois heures trente-sept.
Ananké ne tarderait pas à monter dans la Tour, recrachée par l'ascenseur.

Il se dirigea vers la salle de bain en massant ses muscles crispés par l'immobilité, s'approcha du miroir.

Il s'était toujours demandé ce qu'Ananké pouvait bien lui trouver à lui, petit employé en série de la Tour Temporelle, aux traits identiques à ceux de la majorité.

Ananké, par contre, était considérée comme quelqu'un d'exception. Fille de riches régisseurs au bagage génétique éminent, elle détonnait par sa singulière beauté, ses grands yeux verts aux longs cils illuminant son visage clair, au nez droit et bien dessiné, aux lèvres fines et autoritaires, au front hautain qu'aucune chevelure ne venait ombrager ; sa personne entière inspirait un puissant sentiment d'adoration, de vénération. C'est cette apparence de grande dame altière qui l'avait à maintes reprises sauvée de ses « incartades », car la jeune femme affichait effrontément son penchant pour les arts, asservis par un contrôle strict et implacable.

Aeon fit coulisser les portes de la cabine de nettoyage et s'y engouffra rapidement.

Les jets d'eaux giclaient par saccades sur sa peau nue, imperturbables.

Sans trop s'en apercevoir, il commença à se masturber, d'une manière détachée.

III

L'aiguille incisa une nouvelle fois la peau d'Elias, l'encre indélébile formant l'élégant motif d'un serpent. Un ouroboros, symbole du cycle vital, représenté par un reptile se mordant la queue dans une ronde sinistre, le corps filiforme de l'animal entortillé autour du cou du tatoué.

Sa nuque lui élançait. Il y avait bien une heure au moins – les marqueurs temporels n'étaient pas constants ici – qu'Ananké était penchée sur le tatouage, qu'elle inscrivait ses contours précis sur sa peau rougie, dans le vrombissement caractéristique de l'aiguille.

Il n'était pas sans savoir qu'il serait sévèrement puni si l'on découvrait son forfait, qui sous-entendait la fréquentation d'endroits clandestins, mais il se sentait prêt à affronter les autorités, avec la hardiesse de sa jeunesse.

De toute façon, le dessin – noir, tribal – se mêlait aux longues mèches d'ébène qui effleuraient ses épaules nues, qu'Ananké ne se gênait pas pour frôler, en s'amusant des spasmes de son jeune amant.

Il y avait longtemps qu'ils se retrouvaient dans ces réduits circonscrits, lorsque leurs horaires coïncidaient. Avec le temps, ils avaient transformé l'alcôve en studio de fortune où Ananké pouvait s'adonner à sa passion prohibée : le tatouage. L'infraction était grave et elle en avait conscience ; cependant, elle disposait d'une solide couverture : un *conjugué* haut placé à l'irréprochable dossier employé dans la Tour Temporelle, un métier de façade – couturière – et un fils qu'elle avait eu de manière stratégique, ce qui forçait son partenaire à cumuler les heures de travail en plus de favoriser sa fuite. Elle aimait pourtant tendrement celui qu'elle nommait son fils, un enfant espiègle qui lui ressemblait considérablement et pour qui elle avait des ambitions révolutionnaires ; elle avait d'ailleurs décidé de lui révéler ces dernières bientôt, à l'occasion de son douzième anniversaire.

Le serpent était presque complet.

Elle en informa Elias, qui la toisa longuement, le regard brillant.

Dans quelques instants, elle devrait à regret le quitter, réintégrer ses appartements. Aeon la recevrait dans son bureau avec empressement, elle se montrerait douce et avenante, acquiescerait à ses moindres désirs. Les éventuels soupçons de son conjugué dissipés, elle serait ensuite libre de passer deux semaines sans le côtoyer, à regagner aussi souvent que possible les réduits.

Ils ne perçurent qu'au dernier instant les pas des exécuteurs qui envahissaient la pièce, leurs cuirasses métalliques bloquant l'unique porte de sortie. Un des clients d'Ananké les avait sans doute trahis.

Deux d'entre eux braquèrent leurs armes sur le couple immobile, leurs visages fixes, stoïques. Le jugement était sans appel. L'aiguille s'emballa, perfora profondément la nuque d'Elias, qui poussa un hurlement rauque pendant qu'il ployait vers le plancher, la douleur se répandant le long de son échine.

Le poignet d'Ananké saignait. Elle le contemplait avec stupéfaction lorsqu'une balle lui pénétra entre les deux yeux.

IV

Il ne restait à Aeon qu'une dernière tâche à effectuer avant l'arrivée d'Ananké.

Il ouvrit le dossier concerné, pressé d'en finir.

Il était rare que sa *conjuguée* vienne lui rendre visite, leurs emplois du temps différant tellement; pourtant, il appréciait chaque instant passé avec Ananké, surtout qu'il ne parvenait pas à se départir de l'idée qu'il s'agissait d'un privilège.

Un courriel l'attendait, son intitulé accrocheur « Le Roi est mort » surplombant le bref message dans lequel l'expéditeur arguait *que la hiérarchie n'était qu'un leurre, que tous les éléments du réseau, interdépendants, fonctionnaient dans un système circulaire de façon égalitaire, seule l'interaction des différents facteurs contribuant à entretenir l'illusion collective.* Un plan d'action quelconque était joint. Aeon effaça distraitement le message; il s'agissait sans doute – encore une fois – d'un parasite de cheval de Troie.

Il pianota sur le clavier.

Suppression des entités.

Il sollicita quelques détails. Une infraction grave. Un homme, une femme. Une impression de fatalité. *Ananké.*

Il se renfrogna dans son siège, confus. Demanda l'accès au fichier « archives ». Les images crépitèrent. Sur le sol gris d'un réduit, gisaient les corps disloqués d'Ananké et d'un jeune homme de vingt ans environ, qui saignait abondamment à la base du cou. Le beau visage d'Ananké s'était figé dans une expression étonnée, son front orné d'une cavité oculaire excédentaire.

Ananké ne viendrait plus.

D'un geste mécanique, il empoigna le magazine de décoration, caressa du bout des doigts l'image d'un superbe canapé à méridienne.

Dès le lendemain, il serait le double prestataire d'allocations de décès ; il pourrait alors songer à acquérir quelques antiquités pour réaménager leur appartement stérile. Appartement qui ne serait désormais occupé que par lui seul.

Une larme – unique – s'écrasa sur les pages lustrées du magazine.

Aeon ouvrit le dernier tiroir de son bureau et s'empara de sa trousse médicale. De cette dernière, il extirpa le Rêve – médicament vert vaporeux – et déposa le flacon contre un second, de taille identique, empli d'un liquide noir sirupeux : le Cauchemar. Il avait toujours cru nécessaire de conserver une dose à proximité.

Il mélangea maladroitement les doses en parts égales – ses mains tremblaient –, s'administra le composé devant le regard ennuyé du chien.

Les aiguilles de l'horloge se positionnèrent douloureusement sur le douze.

Minuit.

Il attendit.

Ariane GÉLINAS

Née en 1984, Ariane Gélinas a publié quelques textes dans des fanzines et des magazines, tels **Brins d'éternité**, **Main Blanche** et **Horrifique**. Présentement étudiante en littérature et en philosophie à l'UQÀM, elle est également, depuis le numéro 20, directrice artistique du fanzine **Brins d'éternité**.

L'Affaire de la pension astronomique

par André-François RUAUD

Laurine Spehner

En matière d'investigation criminelle, une affaire en amène souvent une autre. C'est ainsi qu'une simple histoire de piratage informatique conduisit Bodichiev sur les lieux d'une de ses enquêtes les plus étranges. Et comme les apparences sont souvent trompeuses, l'enquête la plus anodine se déroula dans un décor hors norme, tandis que Bodichiev éprouvait le pire effroi au sein d'un cadre très ordinaire…

Le soleil commençait à s'extraire de l'ombre immense de Jupiter. Sa lumière faible et rougeoyante transformait le paysage glacé d'Europe en une feuille de cuivre tourmentée, plissée par endroits par des crêtes d'un or rougeâtre, dévoilant ailleurs de planes étendues d'ocre poudroyant. Perchée sur le proche horizon avec l'immuabilité d'une montagne, la masse sombre de Jupiter se nimbait d'un halo incarnat. Au sommet du colosse céleste, l'auréole solaire tournait à l'or liquide, révélant en un trait de brume pourpre le segment supérieur des anneaux. Les multiples feux des étoiles perçaient le sombre velours de l'espace.

Bodichiev plissa les yeux : il lui semblait apercevoir... Oui, cette demi-lune scintillante, près de l'anneau, ce devait être Io. Bodichiev exhala un soupir de bonheur. Le sourire aux lèvres, il parvint cependant à détacher son regard des merveilles de la mécanique céleste pour contempler l'intérieur de la verrière sur laquelle il était perché. Au-dessous de lui, la plage était obscure. Organisée en vingt-quatre heures terriennes pour le confort des visiteurs, les journées de la station ne tenaient pas compte du cycle diurne/nocturne d'Europe, d'une durée de quatre-vingt-cinq heures. Alors que l'intérieur de la station fonctionnait en mode nocturne, c'était maintenant le matin à la surface de la planète.

Debout au sommet du dôme, Bodichiev contempla le paysage de glace tourmentée. Le soleil s'était presque entièrement dégagé, dardant ses rayons impitoyables depuis l'épaule de la planète géante. En suspens près de l'aiguille effilée des anneaux, Io était maintenant une sphère d'or étincelant. Europe avait repris son habituel aspect de banquise, ses longues plaines blanches irrégulièrement brisées par des crevasses d'un gris perlé, si peu profondes qu'elles ne projetaient presque pas d'ombre. Un plumet clair surgit brièvement sur l'horizon proche – témoin de l'écrasement d'un météore.

Un crachotement d'électricité statique souffla soudain dans le casque de Bodichiev. « Ça recommence ! » s'exclama la voix rauque de Fyodor Mikhailevitch.

Dans le ciel, Jupiter venait de disparaître, ne laissant derrière elle qu'un gouffre sombre.

« Attendez un instant ! » crachota aussitôt une autre voix, dans laquelle Bodichiev reconnut le timbre chevrotant du professeur Buxhoevden. « Voilà, cette fois-ci ça devrait aller... »

L'orbe rubescent de Jupiter, d'une majesté écrasante, réapparut brusquement sur l'horizon.

✦

La jauge indiqua le rétablissement d'une chaleur normale. Bodichiev ôta son casque, qu'il posa dans un coin du réduit aux côtés du dégivreur. Dégrafant son col, il ouvrit la porte du sas et passa dans la station. Il se remit à marcher sans hâte. La passerelle résonnait sous ses pas avec un vibrato métallique. En contrebas, la plage n'était éclairée que par les gros globes muraux, en mode lunaire pour la nuit. L'eau était immobile et les feuilles des palmiers luisaient doucement. Des chaises longues reposaient dans la pénombre.

L'obscurité mangeait également le grand hall, transformant les bosquets d'arbustes en masses d'encre. Une seule flaque de lumière marquait les lieux, devant la porte de l'ascenseur. Bodichiev pénétra dans la cabine et, ôtant son gant gauche, il effleura la représentation du forum sur l'hologramme de repérage. La cabine plongea sans un bruit, seul le défilé des lumières sur la paroi du tube en trahissant le mouvement. Bodichiev profita du trajet pour se dévêtir de sa combinaison. Il finissait de la replier proprement lorsque la porte de l'ascenseur s'ouvrit à nouveau.

« Vous avez réussi ! s'exclama Fyodor Mikhailevitch.

— En effet », répondit simplement Bodichiev.

C'est sa curiosité pour la toute nouvelle « Station Europa » qui avait conduit Bodichiev à accepter cette affaire, plutôt que l'intérêt intrinsèque de celle-ci – franchement réduit, selon toute apparence.

Un maussade matin d'automne, un petit homme brun de cheveux et pâle de peau était venu trouver Bodichiev à son bureau. Avant même qu'il ne se présente, Bodichiev avait reconnu Fyodor Mikhailevitch Krapivin, le directeur de Station Europa. Cela ne relevait pas de l'exploit de déduction criminelle : le visage du petit homme s'étalait dans tous les journaux et magazines de l'Empire, depuis des mois. Il ne se passait guère de jour sans qu'une station de radio ou de télévision ne l'interroge.

« Je vais être clair, avait déclaré Krapivin à peine assis dans un fauteuil face à Bodichiev. Je n'aime pas la publicité. »

Bodichiev n'avait pas esquissé le moindre sourire.

« Il faut donc que vous me promettiez de garder le silence le plus absolu sur toute cette affaire.

— Les détectives ont pour habitude de ne jamais rien divulguer de ce que leur confient leurs clients. Mais vous ne m'avez encore rien dit de cette affaire qui vous amène, je ne sais donc rien, pas même si je vais accepter cette enquête. »

Fyodor Mikhailevitch Krapivin remâcha cette évidence sans piper mot durant un moment. Puis il lâcha enfin : « Quelqu'un vole mes planètes. »

Bodichiev n'avait pas tout de suite accepté de travailler pour Fyodor Mikhailevitch.

Il avait tenté de lui faire comprendre qu'il s'agissait plutôt du travail d'un informaticien, ou tout du moins d'un spécialiste dans les vols en entreprises. Le petit homme de Station Europa n'avait rien voulu entendre : Jan Marcus Bodichiev devait travailler pour lui, et d'ailleurs n'avait-il pas la réputation d'être lui-même un excellent informaticien ? Mais, avait encore tenté d'arguer Bodichiev, son domaine recouvrait plutôt les meurtres que l'espionnage industriel. Fyodor Mikhailevitch avait alors sorti de sa poche une grosse liasse de roubles. L'affaire ne semblait pas passionnante, tout au plus légèrement cocasse, mais entre la somme offerte (Bodichiev avait des frais) et la perspective d'une visite de Station Europa sous tous ses angles...

Les deux hommes étaient enfin parvenus à un accord mutuellement satisfaisant.

✦

Sur Marylebone Road, le dôme vert du Planétarium et la longue devanture grise de Madame Tussaud's n'avaient pas résisté longtemps aux assauts des engins de démolition. À leur place, surgie de terre en peu de mois, s'élevaient désormais la façade excentrique et les arêtes de verre futuristes de Station Europa. En faisant ses gros titres à peu de frais, toute la grande presse avait énuméré durant des semaines les détails techniques de la nouvelle attraction de Londres. La simulation sur huit étages (la plupart enfoncés dans les profondeurs du sous-sol londonien) d'une station orbitale et de plusieurs bases spatiales pouvant être installées dans la région de Jupiter... Érigée grâce à l'argent d'un excentrique milliardaire indien... Dédiée à l'idée selon laquelle l'exploration spatiale devait dépasser le stade des simples sondes automatiques, prendre des passagers humains et gagner les ceintures de Jupiter... Orientée par la conviction qu'il fallait en convaincre le grand public de la manière la plus attrayante possible... Dessinée par la fine fleur de l'architecture britannique impériale d'avant-garde (Buckminster Fuller, Richard Rogers, Norman Foster et quelques autres)... Plébiscitée par la communauté scientifique... Placée sous la haute bienveillance de la famille impériale...

On avait longtemps cherché l'emplacement idéal de ce monument, depuis Saint-Pétersbourg jusqu'à Moscou en passant par Berlin, avant d'opter pour le rachat de la vieille société Tussaud's, en complète déconfiture. « L'espace pour tous », clamait la publicité. Il s'agissait d'un projet d'ampleur étonnante, une manière d'apporter l'espace lointain en plein cœur de Londres. Une attraction touristique d'un nouveau genre, qui amorçait sa première année d'exploitation de manière magistrale – jusqu'à ce que des planètes commencent à disparaître des simulations !

Bodichiev comprit vite qu'il s'agissait bel et bien d'un cas de piratage informatique. Un virus avait été introduit au sein des ordinateurs de Station Europa, qui effaçait de manière aléatoire certaines parties des simulations. Le détective travailla durant deux semaines sur les codes-source de Station Europa, sur ses logiciels, ses programmes, ses routines, etc. Le plus difficile ne fut pas de déterminer la nature du sabotage – mais bien de se familiariser avec l'ensemble des systèmes de la station. C'est ainsi qu'ayant trouvé des données qu'il ne parvenait pas à identifier, Bodichiev eut l'occasion de parfaire sa culture en astronomie.

« Oh non, ne vous inquiétez pas, lui répondit la jeune informaticienne qu'il interrogea. Pas de danger de ce côté-là : ce sont des enregistrements faits par le programme SETI.

— Je ne connais pas ce programme », avoua Bodichiev en regardant les chiffres défiler sur l'écran. Elzbieta Piotelovna éclata d'un rire joyeux.

« Il ne s'agit pas d'un programme informatique : SETI est un vaste programme de recherche radio-astronomique. Vous savez, les grandes oreilles qui écoutent le ciel afin de rechercher d'éventuels messages extraterrestres ?

— Suis-je sot ! fit Bodichiev en riant à son tour. Bien entendu ! Le fameux message reçu des étoiles, c'est ça ?

— C'est tout à fait ça, acquiesça l'astronome avec enthousiasme. Nous avons stocké ici une copie des données reçues par les antennes de la Tungunska. C'est passionnant, rendez-vous compte : nous avons maintenant la preuve que la vie existe ailleurs que sur Terre ! Et encore, c'est la première fois que nous avons les moyens techniques d'enregistrer un tel message, mais nous avons toutes les raisons de croire qu'il y en a eu d'autres dans le passé.

— Comment cela ?

— Ces signaux semblent être en corrélation avec des chutes de météorites, et nous savons que la Sibérie a essuyé dans le temps de tels phénomènes. En particulier un peu après la mort de la tsarine Victoria. Malheureusement, à l'époque, la région de la Tungunska n'était pas encore équipée en radiotélescopes... »

Le saboteur ayant omis d'effacer certaines traces de ses interventions, Bodichiev parvint enfin à remonter jusqu'à lui – un jeune informaticien embauché à l'ouverture de Station Europa. Bien entendu, lorsque l'I.P.F. débarqua chez lui, c'était trop tard : l'animal avait déjà pris la poudre d'escampette. Des comparaisons entre ses photos d'identité et les fichiers de la Police impériale permirent d'établir qu'en fait de jeune ingénieur britannique, il s'agissait ni plus ni moins d'un espion français – visiblement mandaté par Paris pour saborder les efforts publicitaires de l'Empire en vue d'un renouveau de l'exploration spatiale.

Une enquête de routine pour Bodichiev, en quelque sorte – d'autant moins spectaculaire qu'elle avait surtout consisté en manipulations informatiques. Elle eut pourtant des retombées inattendues : cette victoire sans péril déboucha fortuitement sur l'un des triomphes les moins glorieux de Bodichiev – et cependant l'une de ses enquêtes les plus singulières.

✦

« Un succès, un magnifique succès ! » jubilait Fyodor Mikhailevitch tout frétillant. Le petit homme avait accueilli Bodichiev au sortir de l'ascenseur, ravi et excité comme un gamin. Plusieurs techniciens de la station vinrent également féliciter Bodichiev, lui serrant la main et lui tapant dans le dos. La jeune informaticienne Elzbieta Piotelovna lui planta même un rapide baiser sur la joue. Bodichiev supporta ces effusions avec stoïcisme, se disant qu'après tout une petite balade sur le site désolé et grandiose d'Europe valait bien un rien d'inconfort.

Emporté dans la tourmente enthousiaste du personnel de Station Europa, Bodichiev ne remarqua pas tout de suite qu'une personne ne semblait pas partager l'euphorie générale : le professeur Buxhoevden, l'un des principaux astronomes attachés au

projet. Ce vieux monsieur au crâne chauve et à la moustache
poivre et sel, habituellement d'humeur légère, semblait rongé par
de sombres pensées. Lorsqu'il se rendit compte que Bodichiev le
regardait, il releva ses sourcils et fit signe au détective de le
rejoindre.

« Vous ne semblez pas partager la joie de vos collègues, professeur ? dit Bodichiev.

— Ah, croyez bien que je suis soulagé que vous ayez réparé
nos installations, commença Buxhoevden.

— Remarquez, je regrette moi aussi que le coupable n'ait
pas été interpellé. Hélas, il en va ainsi de cette triste guerre d'espionnage à laquelle se livrent l'Empire et l'U.R.S.F.

— *Da, da*, marmonna son interlocuteur. C'est bien triste en
effet », ajouta-t-il en ayant visiblement l'air de songer à autre
chose. Enfin, le vieux prof se décida à relever la tête. Il fixa
Bodichiev dans les yeux : « Monsieur Bodichiev, je suis très
inquiet. Un meurtre a été commis chez moi. »

◆

Comme cela avait été prévu, le logeur du professeur Buxhoevden téléphona au bureau de Bodichiev dans l'après-midi qui
suivit. Il semblait particulièrement agité. Il se présenta à la hâte :
monsieur Antokolski, de la pension Antokolski à Greenwich.
L'homme enchaîna immédiatement sur la demande pressante que
Bodichiev passe le voir. Des phrases suivantes, aussi rapides que
confuses, le détective ne saisit tout juste qu'une vague histoire
d'assassinat et de demeure dérangée. Buxhoevden lui avait dit
que le logeur lui expliquerait tout – cela demeurait à voir.

Interloqué par ce coup de fil, Bodichiev n'hésita cependant
pas longtemps quant à l'attitude à adopter : la curiosité ne se
situait-elle pas en bonne place parmi les qualités essentielles
d'un bon détective privé ? Quittant son bureau de Bartholomew
Lane, face aux colonnes monumentales de l'Imperial Bank, il
chercha vainement un taxi. La foule qui avait envahi les rues de
la City à l'approche des festivités de l'An 3000 transformait le
quartier des affaires en une vaste fête permanente, engorgeant
les avenues et faisant vibrer l'air d'une cacophonie aux rythmes
asynchrones. Des bouddhistes enrubannés de tissu orange cons-
tituaient l'essentiel des joyeux manifestants. Ayant manqué de se

faire renverser par un moine encore plus gros que lui, Bodichiev étouffa un soupir d'agacement. Étant agnostique, il considérait habituellement avec une bonhomie sereine la passion de ses contemporains pour la foi bouddhiste. Mais les choses allaient un peu trop loin à son goût. D'ordinaire stoïques, même les citoyens de l'archipel britannique cédaient à la folie millénariste décrétée par le Tsar.

Bodichiev trouva enfin un véhicule pour le prendre en charge, près de la Tour. Après un trajet poussif à travers les taudis et les terrains vagues de l'East End, le taxi à alcool déposa Bodichiev au bord de la Tamise, devant la tour ronde du tunnel piéton de Greenwich. Dix minutes plus tard, le détective se retrouvait sur l'autre rive. La façade vieillotte, presque anonyme, de la Pension Antokolski s'élevait dans le quartier tranquille niché entre les collines vertes du parc et les longues étendues blanches de l'Imperial Navy College. Il n'avait pas plus tôt sonné à la porte qu'apparaissait un grand homme au nez en bec d'aigle et aux cheveux frisés qui commençaient à grisonner sur les tempes. Il s'agissait bien de monsieur Antokolski ; celui-ci l'introduisit dans sa demeure et le poussa presque jusqu'au premier étage, dans une petite chambre mal éclairée par une fenêtre étroite.

« C'est ici qu'on a retrouvé le corps », déclara monsieur Antokolski. D'un geste de la main, il indiqua un point du tapis situé sous l'étroite fenêtre fermée de barreaux.

Le regard de Bodichiev alla de la trame élimée qu'on lui désignait au coin de ciel bleu qui illuminait la scène, à travers un carreau brisé, puis revint vers le visage tendu du logeur. Étouffant un soupir agacé, il demanda : « Et si vous m'expliquiez un peu ? »

Antokolski se passa une main tremblante sur le visage.

« Vous avez raison, je ne vous ai encore rien dit », fit-il d'une voix rauque. Il désigna une chaise à Bodichiev et lui-même s'assit au bord du lit.

« L'autre matin, j'ai découvert mort l'un de mes pensionnaires, monsieur Greenland. C'était il y a trois jours. » Antokolski baissa la tête sans rien ajouter.

« La police est venue, je suppose ? demanda Bodichiev.

— *Da, da.* Deux inspecteurs de l'I.P.F.

— Et qu'ont-ils dit ? » demanda encore Bodichiev, passablement agacé de devoir lui arracher mot à mot les informations.

Antokolski lâcha un soupir tremblotant puis releva la tête.

« Ils ont conclu à une mort accidentelle. D'après eux, un meurtre est rigoureusement impossible.

— Vous avez des raisons de douter de ce diagnostic ? »

Sans répondre, Antokolski se leva et se planta sous la fenêtre. Il commença à gesticuler.

« C'est ici que Greenland se trouvait lorsque je l'ai découvert. Il était tombé en arrière, de tout son long, sur le tapis, sous la vitre brisée. Il avait une profonde blessure à la poitrine. La police a dit qu'il était mort en fin de soirée. »

Bodichiev ne bougea pas de sa chaise, il se contenta de regarder son hôte d'un air sévère.

« Quel genre de blessure ? demanda-t-il.

— Une entaille, mince et haute. » Antokolski se passa de nouveau la main sur le visage, comme s'il cherchait à effacer ainsi le souvenir odieux.

« Qu'en ont dit ces messieurs de la police ?

— Un éclat de verre, c'est ce qu'ils en ont conclu. Ils ont dit que Greenland a sans doute succombé à la blessure infligée par un éclat de verre, lorsqu'un carreau de sa fenêtre s'est accidentellement brisé.

— L'explication semble raisonnable, ne croyez-vous pas ?

— *Niet*, quelque chose ne va pas ! Il y avait bien quelques morceaux de verre sur le tapis, mais pas le moindre dans la blessure de monsieur Greenland ! » s'écria Antokolski, sa voix montant dans les aigus.

Bodichiev se leva ; il prit Antokolski par les épaules. Doucement, il le poussa vers le lit, l'obligeant gentiment à se rasseoir. Il lui demanda s'il voulait un verre d'eau, quelque chose, mais Antokolski secoua négativement la tête. Bodichiev alla chercher sa chaise puis s'installa près d'Antokolski. Celui-ci se passa une nouvelle fois la main sur le visage avant de reprendre son récit : « La fenêtre était grande ouverte, des feuilles et des éclats de verre jonchaient le sol. Les policiers ont supposé que Greenland se trouvait près de la fenêtre lorsqu'une bourrasque de vent avait provoqué la brutale ouverture de celle-ci… » Il avança les bras, les mains tendues, mimant l'accident d'un geste saccadé. Avec un soupir déchirant, il laissa retomber ses bras.

« Mais vous dites que les policiers n'ont pas retrouvé le morceau de vitre qui aurait provoqué la blessure mortelle de monsieur Greenland, c'est bien ça ?

— Tout à fait, répondit Antokolski en secouant lentement la tête. Ils ont emporté les éclats de verre, pour analyse. Mais aucun n'était assez grand pour avoir provoqué la blessure de monsieur Greenland.

— Ce morceau de verre aurait pu tomber par terre et se briser en plusieurs fragments, après avoir blessé votre locataire », spécula Bodichiev.

Antokolski poussa un nouveau soupir. « C'est également ce qu'ils ont dit. Mais ils n'avaient pas l'air très convaincus par leur propre argument. D'ailleurs, ils ont tout de même fouillé la vigne, en bas de la fenêtre, mais sans rien trouver. Ils pensaient que du verre avait pu tomber dans le feuillage.

— Pourquoi ont-ils écarté d'emblée la thèse du meurtre, alors ?

— La chambre était fermée à clef de l'intérieur lorsque j'ai trouvé monsieur Greenland. J'ai dû utiliser mon passe pour entrer. Et comme vous le voyez, impossible de passer par la fenêtre, puisqu'il y a des barreaux…

— Ha, murmura Bodichiev avec un petit sourire. Le coup classique de la chambre close… » Il alla se planter devant la fenêtre. Deux hauts frênes dressaient leur feuillage dans le jardin de la pension. Bodichiev demanda : « Un éventuel meurtrier aurait pu s'approcher de la fenêtre, cependant ? C'est cet intrus qui aurait brisé la vitre, dans ce cas, en projetant quelque chose afin de blesser monsieur Greenland.

— Non plus… Les policiers ont essayé, la vigne ne supporterait pas le poids d'un homme. Et puis, nous n'avons rien trouvé d'anormal dans la chambre, aucun projectile.

— Une flèche au bout d'une ficelle, peut-être ? Que le meurtrier aurait alors récupérée ?

— La police y a aussi pensé. Mais d'où aurait-on tiré ?

— Ma foi, la police semble avoir couvert toutes les hypothèses avec sérieux. Pourquoi ne croyez-vous pas au suicide de votre locataire ? Y avait-il quelque chose dans sa vie privée qui permette que vous ayez de tels soupçons ?

— Oh mais pas du tout ! Monsieur Greenland était quelqu'un de tout à fait comme il faut, un locataire sans histoire, protesta Antokolski.

— Quelle profession exerçait-il ?

— Journaliste scientifique : il écrivait des articles dans des revues, surtout sur l'astronomie. Je crois qu'il commençait à avoir une certaine renommée. Il avait aussi écrit des livres, des ouvrages de vulgarisation et puis des romans d'aventures… Je les ai lus, c'était vraiment très bien…

— Je vois… Mais alors pourquoi de tels soupçons ?

— Mais c'est que cette nuit, monsieur, ma pension a encore été visitée ! » déclara Antokolski d'un ton dramatique, levant les bras au ciel et fixant ses yeux larmoyants dans le regard sombre de Bodichiev. Antokolski se leva, il fit signe au détective de le suivre.

« Je n'aurais eu aucune raison de douter des causes de la mort de Greenland, s'il ne se passait pas des choses étranges dans la pension durant la nuit, depuis plus d'une semaine ! »

Quittant la petite chambre, Antokolski leur fit redescendre l'escalier étroit et ouvrit la porte d'une des pièces du rez-de-chaussée. Il s'agissait du salon, un local dont les dimensions modestes pâtissaient de la présence d'un papier peint aux motifs sombres et surchargés, et par l'accumulation d'un mobilier de mauvais goût. L'unique fenêtre donnait sur le jardin, à l'arrière de la pension. « Voyez comme on a vandalisé mon salon ! » Un buffet trônait face contre terre au beau milieu du tapis. Diverses pièces d'argenterie et de porcelaine gisaient çà et là, jetées au hasard. La tapisserie d'un des murs portait de larges lacérations, comme si l'on s'était acharné à la découper en lanières. Bodichiev fit le tour de la pièce. Il étudia les lambeaux de papier peint qui pendaient. Il s'accroupit près du buffet renversé et tâta prudemment les écorchures qui en marquaient l'arrière.

« Étrange, reconnut-il. Que vous a-t-on volé ?

— Mais rien ! Rien du tout, affirma Antokolski. J'ai été réveillé en pleine nuit par un grand bruit, je suis aussitôt descendu et j'ai trouvé la pièce dans l'état où elle est maintenant. Les fenêtres étaient fermées, la porte aussi. Je ne sais pas par où les vandales se sont introduits, ni comment ils ont pu s'enfuir sans que je les surprenne. J'ai appelé la police, mais ils ne m'ont pas pris au sérieux. Ils ont dit qu'ils m'enverraient un agent dans la journée. Vous comprenez pourquoi j'ai besoin de vos services, monsieur Bodichiev. Un décès et un cambriolage, ça fait deux mystères de trop !

— Et vous disiez qu'il s'était passé de nuit d'autres événements étranges ?

— *Da* ! Des petites choses, mais qui, mises bout à bout...

— Quel genre de choses ?

— C'est difficile à dire... des bruits inhabituels, par exemple. Je sais ce que vous allez dire : les vieilles demeures font toujours des tas de craquements. Mais je connais ma maison, et plus d'une fois ces derniers temps j'ai sursauté en entendant des bruits que je ne reconnaissais pas ! J'ai souvent trouvé des fenêtres ouvertes, aussi. Des fenêtres que je savais avoir fermées !

— Vous en avez parlé à la police ?

— Que vouliez-vous que je leur dise ? Ce sont des incidents beaucoup trop vagues. Déjà qu'ils n'ont pas voulu considérer comme suspecte la mort de monsieur Greenland, alors des craquements nocturnes, vous pensez... Dites-moi que vous acceptez de vous occuper de cette affaire, monsieur Bodichiev ! »

Bodichiev acquiesça distraitement. Différentes hypothèses tournaient dans sa tête.

« Il faudrait que vous me fassiez visiter toute la pension, s'il vous plaît. »

Antokolski s'empressa de satisfaire à sa demande. Des sculptures, en buste ou en pied, encombraient le couloir obscur et le hall d'entrée. Bodichiev reconnut au passage quelques figures fameuses des premières années de l'Empire : l'écrivain Saltykov-Chtchedrine, le général comte Loris-Melikov, le ministre Gladstone, le préfet Trepov, mais il ne fit pas de commentaire quant à l'excentricité d'une telle décoration. La cuisine, impeccablement rangée, se situait en face du salon. La lumière qui la baignait contrastait agréablement avec la pénombre un peu étouffante du reste de la demeure. Devant la pension, des ouvriers perçaient le macadam de la rue. Les coups du marteau-piqueur faisaient vibrer les vitres de la cuisine.

À l'étage, Antokolski s'arrêta devant la porte qui jouxtait celle de Greenland. Il se retourna vers Bodichiev : « Je n'ai plus pour l'instant que deux locataires : le professeur Buxhoevden, que vous connaissez, et madame Smith-Nekrassov. Mes deux autres pensionnaires, d'éminents chercheurs de l'Observatoire, sont partis en vacances sur le continent, pour les festivités du millénaire. »

Antokolski frappa à la porte de la chambre de Buxhoevden, sans réponse. Il frappa de nouveau, un peu plus fort. Cette fois, l'on entendit des bruits de pas et la porte s'ouvrit.

« *Da*? demanda le professeur.

— Monsieur Buxhoevden, monsieur Bodichiev est là, il a accepté d'enquêter sur les événements récents…

— Entrez, je vous en prie », répondit le vieil homme en s'effaçant.

La pièce dans laquelle entra Bodichiev était de loin la plus grande qu'il ait vue jusqu'à présent dans la pension. Des bibliothèques croulant sous les ouvrages occupaient chaque pan de mur, mais seules quelques tables surchargées de papiers occupaient le centre de la chambre. La lumière tombant d'un large *bow-window* à l'autre bout de la pièce faisait briller le parquet de bois clair. Sur le côté, une petite porte donnait visiblement sur la chambre proprement dite. Posé près d'une des fenêtres, un petit télescope pointait son museau luisant vers le ciel. Quelques feuilles de la vigne se balançaient au vent devant les vitres. Voyant que Bodichiev regardait l'instrument, Buxhoevden partit d'un petit rire amusé.

« Ceci n'est qu'un jouet, bien entendu. Mais il me permet malgré tout quelques observations », expliqua l'astronome avec un petit sourire d'autodérision.

« Bien. Maintenant, professeur, qu'avez-vous entendu, lors de la mort de monsieur Greenland?

— Hélas, rien du tout. Je n'ai pas une ouïe très fine. L'âge, malheureusement. De plus, ma chambre est séparée de celle de Colin par cette pièce-ci.

— Colin?

— C'était le prénom de monsieur Greenland, précisa Antokolski.

— Et cette nuit? demanda Bodichiev. Qu'avez-vous entendu?

— Rien non plus, j'en ai peur, répondit le professeur en esquissant un sourire navré. Vraiment, j'aimerais beaucoup vous aider, mais je n'ai vraiment rien remarqué d'étrange. » Le vieil astronome esquissa un geste en direction de son logeur. « Monsieur Antokolski m'a confié ses inquiétudes, mais j'avoue que, pour ma part, je n'ai pas pris garde à des changements particuliers dans la maison.

— Et cependant, vous pensez vous aussi que la mort de monsieur Greenland n'a rien d'accidentel?

— J'en suis persuadé ! La police n'a pas assez d'imagination, affirma-t-il fermement. Je connaissais fort peu Colin, mais j'avais beaucoup de sympathie pour lui. Penser qu'il serait mort aussi sottement... Non, je n'y crois pas. De plus, j'ai pleinement confiance dans les déclarations de monsieur Antokolski : s'il dit avoir trouvé des incidents suspects ces derniers temps, c'est que c'est vrai. Pour ma part, je suis tellement distrait... Mais que je sois un piètre témoin ne doit pas vous faire reculer, monsieur Bodichiev : je suis extrêmement heureux que vous ayez accepté l'enquête que je vous proposais. »

À ces derniers mots, monsieur Antokolski eut comme un haut-le-corps.

« Minute ! C'est moi le client de monsieur Bodichiev, affirma-t-il sur un ton sans appel.

— Mais non, voyons, il n'y a pas de raison : c'est moi qui ai fait appel à ses services, répondit l'astronome vaguement gêné.

— Monsieur Buxhoevden, cette pension est la mienne, je tiens à être celui qui paiera les services de monsieur Bodichiev.

— Messieurs, messieurs ! déclara l'intéressé en levant la main. Je suis flatté que vous vous disputiez pour avoir le privilège de régler mes honoraires, mais sans doute pouvez-vous vous entendre : un règlement moitié-moitié me semblerait juste, ne pensez-vous pas ? »

Le logeur et l'astronome admirent de bonne grâce que ce serait en effet la solution la plus commode. Bodichiev prit congé de Buxhoevden et se laissa guider par Antokolski vers le deuxième étage, où logeait l'autre locataire encore présente, madame Smith-Nekrassov.

◆

La vieille dame ouvrit sa porte dès le premier coup. Minuscule et sèche, des rides de bonheur plissant le coin de ses yeux, elle envoya un sourire lumineux à ses visiteurs et s'effaça avec une courbette polie. Ses appartements avaient la même simplicité que ceux du défunt Greenland : une petite chambre modeste, complétée par une kitchenette dans une alcôve. La lumière d'un large vasistas éclairait généreusement les lieux. Le dépouillement de l'ameublement donnait l'impression que cette chambre était un peu plus vaste qu'en réalité. Une table basse, un futon, quelques coussins, des nattes et une petite malle – le tout dans le style oriental. Seule pièce de mobilier importante, une statue trônait avec sérénité sur la paroi basse séparant la kitchenette de l'espace à vivre. Non pas un ancien Russe, comme dans le reste de la pension, mais un Bouddha lisse et bedonnant.

Madame Smith-Nekrassov elle-même était enveloppée dans la toge orange qu'affectaient de si nombreux Londoniens ces temps derniers. Après les présentations d'usage, elle invita le détective et le logeur à s'asseoir sur des nattes. Bodichiev déclina poliment, peu enclin à contraindre sa corpulence à un tel exercice. Ils demeurèrent donc debout.

« Comme je l'ai déjà dit à vos collègues (Bodichiev ne releva pas, jugeant inutile de rappeler qu'il n'appartenait pas à l'Imperial Police Force), je n'ai rien entendu la nuit de la mort de ce pauvre monsieur Greenland. Pourtant, je loge juste au-dessus, et j'ai le sommeil léger.

— Et qu'en est-il des troubles observés par monsieur Antokolski ces derniers temps?

— Ça, par contre, je peux témoigner qu'il ne s'agit pas de son imagination! Il ne faudrait pas que vous preniez ce cher Douglas pour un lunatique », affirma-t-elle avec un petit sourire amusé. Elle posa une main sur le bras d'Antokolski. Son logeur eut l'air légèrement embarrassé par ce geste affectueux, mais madame Smith-Nekrassov affecta de ne pas s'en rendre compte. « Je crains que la police ne l'ait déjà pris pour un vieux fou, lorsqu'il leur a fait part de ses doutes quant au décès de monsieur Greenland.

— Je vous assure que pour ma part je prends cette affaire très au sérieux, affirma Bodichiev en se retenant de sourire devant la mine gênée de *ce cher Douglas*. Je ne considère pas l'imagination comme un défaut, et ainsi que me l'a dit tout à l'heure monsieur Buxhoevden, la police en manque souvent. »

Madame Smith-Nekrassov laissa échapper un petit rire ravi. « C'est merveilleux! Je suis certaine que vous allez faire la lumière sur toute cette affreuse affaire, monsieur le détective », affirma-t-elle avec une nouvelle courbette à l'asiatique et un sourire radieux.

« Puis-je m'enquérir de votre profession, madame?

— Je travaille à l'Observatoire.

— Vraiment ? Tous vos locataires sont donc astronomes, monsieur Antokolski », remarqua Bodichiev en se tournant vers le logeur.

« Oh, pas du tout ! s'empressa de rectifier madame Smith-Nekrassov avec un léger gloussement. Je n'occupe pas une position aussi exaltée. Je dirige simplement la librairie du musée de l'Observatoire.

— Vous connaissiez bien monsieur Greenland ?

— Hélas non. Nous avons coutume de demeurer assez réservés les uns envers les autres, dans cette pension. Il faut que nous préservions notre intimité, vous comprenez ? Je le regrette, maintenant : il s'agissait d'un jeune homme charmant, et très talentueux. J'avais lu un de ses romans, savez-vous ? Une histoire délicieuse, très amusante. »

Madame Smith-Nekrassov alla chercher dans sa malle un gros livre à la couverture bariolée. Bodichiev regarda le titre : *Les Jumeaux du Zodiaque*.

« Hum, de la science-fiction ? Je crains que ce ne soit pas trop mon style de lecture », admit le détective.

Bodichiev et la vieille dame échangèrent ensuite quelques considérations sur les livres et leur commerce, sur un ton plaisant.

Quoique l'embonpoint de Bodichiev ne lui donnât guère de goût pour le *kow-tow*, il fit tout de même l'effort d'une vague inclinaison du buste en quittant la vieille dame, séduit qu'il avait été par son énergie et sa bonne humeur.

Bodichiev demanda ensuite à voir le jardin. Antokolski le fit redescendre et poussa la petite porte qui s'ouvrait en face de l'entrée. Plantée au bord de la terrasse, une statue du tsar Constantin dominait la pelouse. La vigne couvrait toute la façade arrière de la pension. Bodichiev examina la plate-bande, d'où émergeait le tronc lisse et tavelé de la vigne. Il écarta les feuilles lancéolées, au vernis d'un vert sombre, tira un peu sur une branche et la vigne trembla.

« Je vous l'ai dit, les policiers ont déjà cherché des bouts de verre et ont testé la résistance de la plante pour savoir si on pouvait y grimper », dit Antokolski qui n'avait pas lâché le détective d'une semelle. Bodichiev hocha la tête sans faire de commentaire. Il leva le regard vers le premier étage. Deux fenêtres étroites entouraient le *bow-window*. Bodichiev se retourna ensuite vers le jardin, balayant du regard les deux frênes et la pelouse. Il alla se planter sous les arbres. S'adossant au tronc de l'un d'eux, Bodichiev chercha à jauger du regard la distance qui le séparait de la fenêtre de Greenland. Un tireur serait certainement parvenu à briser la vitre depuis l'une des branches. Mais alors, qu'en était-il du projectile ? L'idée de la flèche au bout d'une corde semblait assez peu praticable. Bodichiev examina le tronc d'un frêne, puis de l'autre. Aucune trace. Le tireur aurait nécessairement laissé quelques marques de son escalade. Revenant vers le logeur, Bodichiev s'arrêta près de la statue de Constantin.

« Vous possédez un nombre surprenant de sculptures, monsieur Antokolski.

— Oui, cela peut surprendre en effet », fit Antokolski avec un haussement d'épaules, l'air de dire que cela n'avait pas grande importance. « Mais en fait, mon père et mon grand-père étaient tous deux sculpteurs. Mon grand-père a été célèbre à son époque, la tsarine Victoria l'avait même élevé au rang de Comte pour le remercier de ses bons services. Beaucoup de ses marbres décorent encore Moscou : des statues du cosaque Ermak, d'Ivan le Terrible, de Pierre le Grand… Cette statue de Constantin date de l'Exposition universelle de Saint-Pétersbourg, c'est une des plus belles œuvres de mon père. » Apparemment épuisé par cette tirade historique, Antokolski s'écroula sur une chaise de fer forgé. « Alors, vous pensez comme moi que la police n'a pas pris cette affaire assez au sérieux, n'est-ce pas ? » demanda-t-il d'un ton anxieux.

Bodichiev acquiesçait en silence lorsqu'une sonnerie retentit depuis la porte d'entrée. Antokolski partit voir de quoi il s'agissait. Demeuré seul, Bodichiev laissa son regard aller et venir de la cime des frênes à la fenêtre de Greenland. Il se dit qu'un escabeau ou une échelle serait nécessaire pour examiner l'écorce plus haut que son regard ne pouvait porter. Un éventuel tireur avait-il pu se hisser dans l'un des arbres et, de là, tirer une flèche sur Greenland ? Mieux : un carreau d'arbalète. Sa forme en losange correspondrait assez bien à celle de la blessure de Greenland. Pourtant, dans ce cas, le projectile serait resté fiché dans le corps de la victime. Au pire, la police aurait trouvé la flèche ou le carreau dans la chambre. Quoique… elle n'avait pas non plus trouvé le bout de vitre qu'elle avait désigné comme l'instrument de la mort de Greenland.

« Monsieur Bodichiev ! » appela Antokolski depuis la terrasse, le tirant de ses réflexions. Un agent de police l'accompagnait, le chapeau melon à la main et l'air blasé. Antokolski présenta les deux hommes l'un à l'autre puis se retira dans la maison. Apprenant que l'agent avait assisté à l'enquête sur la mort de Greenland, Bodichiev essaya d'en savoir plus. Le policier, distant mais poli, se laissa interroger mais ne révéla rien de plus que ce qu'Antokolski avait déjà dit à Bodichiev. Greenland était mort dans la soirée précédant la découverte de son corps, il portait une blessure profonde et étroite au centre de la poitrine. Lorsque Bodichiev voulut connaître l'opinion exprimée par le médecin légiste, le policier devint évasif : mort accidentelle, il ne pouvait rien dire de plus, comprenez-vous, l'I.P.F. n'a pas pour habitude de donner trop de détails à des personnes étrangères à ses services. Bodichiev, qui avait au contraire tout à fait l'habitude d'obtenir de tels détails, n'insista pas. Il savait à qui s'adresser à New Scotland Yard pour recueillir les renseignements dont il avait besoin.

✦

Bodichiev fit venir un taxi afin de retourner à Bartholomew Lane prendre quelques affaires : il avait accepté de passer la nuit à la pension de monsieur Antokolski. Non pas qu'il ait eu beaucoup d'espoir de résoudre le mystère de la mort de Greenland en logeant sur place, mais plus égoïstement parce qu'il y voyait un moyen commode de s'éloigner du tohu-bohu du centre-ville. Depuis plusieurs nuits déjà, il avait du mal à dormir tant le bruit de la rue se poursuivait tard. Élucider une nouvelle affaire de chambre close ne se révélerait peut-être pas facile, mais dormir tranquillement serait déjà une belle victoire.

Retourner en ville lui permettrait également de passer par New Scotland Yard. Avec un peu de chance, le jeune Sigerson serait de service – d'ailleurs, quand ne l'était-il pas ?

Le taxi choisit de passer par le nouveau pont de Blackwall. Bodichiev eut donc tout le loisir d'admirer de près l'extraordinaire monument surgi depuis quelques mois hors de la boue des anciens docks : une effigie géante du Bouddha Amida. Écrasant Greenwich et les quartiers environnants, ce nouveau colosse était d'une taille rivalisant avec celle de la Statue de la Liberté de Saint-Pétersbourg ou de la Tour de l'Étoile Rouge de Paris. Le Bouddha Amida, la Lumière sans Limites et Celui Dont la Splendeur ne Peut Être Mesurée, se tenait assis sur une gigantesque fleur de lotus. Des segments figurant les rayons du soleil lui formaient une couronne. Il tenait dans une main un bol de mendicité et de l'autre élevait vers les cieux gris une énorme sphère de verre, censée symboliser l'orbe terrestre. Le Tsar ne semblait pas éprouver de difficulté particulière à concilier le pacifisme de ses croyances affichées avec son goût pour l'hégémonie.

New Scotland Yard étalait ses couches successives de brique et de pierre en une confortable forteresse juste au bord de la Tamise, entre les pinacles gothiques du législatif de Westminster et l'ordre presque italien de l'administration à Whitehall. Bodichiev se fit déposer par le taxi à l'angle de la statue de Boudica et continua à pied, traversant l'intense circulation automobile du quai pour s'enfoncer dans les ruelles du quartier général de la police. Dans une cour qui ne voyait que rarement le soleil, Bodichiev poussa une porte nichée entre deux hautes cheminées. Il s'agissait de l'entrée arrière de la morgue, royaume exclusif du scalpel, du formol et de deux générations successives de Sigerson.

Le grand-père, le très célèbre docteur Érasme Sigerson, avait régné sans partage durant quarante ans sur les arcanes de la médecine légale. Comme bien souvent, le génie avait ensuite sauté une génération, reléguant le fils John dans une obscure carrière administrative. La morgue de New Scotland Yard avait ensuite vu le petit-fils, Charles Sigerson, prendre la relève de son fameux aïeul. Et parce que le mérite n'attend pas le nombre des années, le « jeune Sigerson », ainsi qu'on l'appelait en général, n'avait pas tardé à devenir le nouveau grand manitou des médecins légistes de l'Imperial Police Force.

« Vous avez une idée du nombre d'affaires que traitent tous les jours mes services, Bodichiev ? » demanda le jeune Sigerson en menaçant le détective d'un bistouri. Son sourire démentait pourtant l'agressivité de sa posture. « Quel nom avez-vous dit, déjà ? » ajouta-t-il en tapotant sur le clavier placé devant lui.

« Greenland, Colin. Mort à Greenwich il y a trois jours.

— Oui, je l'ai. Hum, oui, d'accord... marmonna-t-il en lisant la fiche qui venait d'apparaître sur son écran. Et qu'allez-vous me donner en échange de la divulgation d'informations strictement du domaine de l'I.P.F., Bodichiev ? » Il ponctua son interrogation d'un sourcil ironiquement levé.

« Un bon repas comme d'habitude, docteur. Ou bien seriez-vous subitement devenu moins gourmand ?

— Oh, oh, ce n'est pas cela. Je me demande juste si c'est bien raisonnable… pour vous ! Votre embonpoint ne semble pas nécessiter que vous alliez encore dans un restaurant », expliqua le légiste avec un sourire en coin.

Bodichiev laissa échapper un ricanement désabusé.

« Mon tour de taille ne craint plus aucun excès, rassurez-vous. Et je crois que vous, en revanche, vous auriez bien besoin de vous remplumer un peu ! » rétorqua-t-il en désignant du menton la silhouette nerveuse de son interlocuteur. Le jeune Sigerson éclata de rire et fit pivoter l'écran de l'ordinateur en direction de Bodichiev.

« Allez-y. Ce n'est pas moi qui me suis chargé de cette autopsie, mais un de mes internes, Hewitt. Il est excellent, vous pouvez vous fier à son jugement. »

Bodichiev se pencha sur l'écran. Le résultat de l'examen du légiste correspondait aux déclarations de la police : blessure frontale au torse… infligée par une lame fine et tranchante… coupure nette… présence d'un minuscule débris de verre au fond de la plaie… Tous les éléments notés par le légiste semblaient corroborer la thèse du bout de vitre blessant mortellement Greenland.

Par contre, l'analyse des morceaux de verre ramassés par les enquêteurs sur le tapis ne révélait pas la moindre trace de sang. Où était donc passé l'éclat qui avait tué Greenland ?

Bodichiev reprit un taxi pour rentrer chez lui, mais, incapable d'approcher de Bartholomew Lane, le conducteur déposa son passager à l'angle de l'Imperial Bank. Bodichiev dut se frayer un chemin au sein de la cohue, incommodé par la vapeur qui, comme d'ordinaire, jaillissait par endroits des soupiraux ou des tuyauteries. Des processions d'enrubannés défilaient dans la rue, au son des petites clochettes qu'ils agitaient. Des fleurs de lotus jonchaient les rues et les trottoirs. « L'An 3000, quelle foutaise ! » grommela Bodichiev en grimpant l'escalier de son immeuble. Lorsque le tsar Constantin s'était marié avec Victoria, il venait déjà d'épouser la foi bouddhiste, tendance « Petit Véhicule ». Passionnée de spiritisme et de mysticisme, la jeune souveraine britannique avait suivi avec enthousiasme son époux dans cette voie. Les calendriers romains et orthodoxes avaient été abandonnés au profit d'un nouveau mode de datation, mis au point par les savants de Constantin d'après des calculs basés sur la naissance de Siddharta Gautama. Résultat des courses : alors que la France marxiste-engelsiste considérait qu'on était encore en 1995, l'Empire de Toutes les Russies, celui sur lequel le soleil ne se couchait *réellement* jamais, fêtait en grandes pompes l'avènement de l'An 3000.

◆

Bodichiev se réveilla en pleine nuit. Un moment égaré, il se souvint qu'il avait accepté de rester dormir à la Pension Antokolski. Le propriétaire des lieux lui avait donné au deuxième étage une chambre donnant sur la rue.

Étendu dans ce lit étranger, Bodichiev resta immobile. Quelque chose l'avait réveillé, mais il ne savait pas quoi. Certainement un bruit qui ne lui était pas familier. D'ordinaire Bodichiev détestait passer la nuit ailleurs que chez lui : il ne dormait jamais vraiment bien hors de son lit. Pourtant, entre la cacophonie de la City et le calme de Greenwich, il avait cru faire le bon choix. Lorsque monsieur Antokolski lui avait proposé de dormir à la pension, afin d'être à pied d'œuvre le plus aisément possible, Bodichiev s'était soudain laissé séduire par la perspective du silence presque campagnard de Greenwich.

Bodichiev demeura sans bouger dans son lit durant un long moment, flottant entre le sommeil et l'éveil, bien au chaud. Le bruit qui avait interrompu son repos ne se reproduisit pas. Avec un léger grognement, Bodichiev se décida à se lever pour répondre à la pression de sa vessie. Sous ses pieds le plancher était froid, mais il n'avait pas pensé à prendre des pantoufles. Où se trouvaient les toilettes, déjà ? Rechignant à allumer la lumière du couloir, il tâtonna jusqu'à la porte dont il se souvenait. Autour de lui, la pension murmurait dans la nuit. Craquement de plancher, tintement d'une horloge. Une vibration sourde traversa le sol, faisant trembler la cuvette des toilettes. Ses yeux s'étant accoutumés à l'obscurité, Bodichiev retrouva son chemin sans plus devoir tâtonner. Il arrivait à la porte de sa chambre lorsqu'il distingua vaguement une forme humaine qui se mouvait à l'autre bout du couloir. Bodichiev se figea aussitôt et se mit à respirer le plus doucement possible. Tendant l'oreille, il essayait également de percer la pénombre du regard. Le promeneur nocturne glissait en silence sur le parquet, avec une lenteur délibérée. Lorsqu'il passa dans la lueur projetée par le reflet de la lune dans la vitre d'un cadre, Bodichiev reconnut madame Smith-Nekrassov. La vieille dame tenait ses yeux baissés vers un objet qu'elle balançait au bout de sa main droite. Sans que Bodichiev sache comment elle avait détecté sa présence, madame Smith-Nekrassov releva soudain la tête et lança son habituel sourire radieux dans sa direction. Elle lui fit signe de s'approcher.

« Monsieur le détective, j'espère que vous ne m'en voudrez pas d'enquêter de mon côté sur l'affaire qui nous intéresse ? » chuchota-t-elle d'un ton plaisant. Elle ne semblait pas troublée par l'incongruité de leur rencontre nocturne.

Dans sa main droite, oscillant doucement au bout d'une cordelette, la boule d'un pendule accrochait la lueur lunaire par intermittence.

« Que recherchez-vous donc, madame ? demanda Bodichiev dans un même chuchotement courtois.

— Des fantômes, des poltergeists, un phénomène parapsychique de ce genre, expliqua madame Smith-Nekrassov. En règle générale, le type de troubles dont cette pension est la victime trouve son origine dans des perturbations surnaturelles du type spectral.

— Vous pensez que la pension est hantée ? demanda Bodichiev en s'efforçant de conserver la neutralité de son chuchotement.

— Malheureusement non. Je l'espérais, notez bien : ça aurait tout expliqué », expliqua-t-elle en continuant de surveiller les balancements du pendule. « Hélas, j'ai beau étudier les flux spirituels de cette maison, je ne trouve rien. Pas la moindre manifestation spectrale. » Elle replia le pendule dans sa main et, relevant les yeux en cherchant à capter le regard de Bodichiev, ajouta sur un ton de tranquille indulgence : « Je me doute que vous êtes un sceptique, monsieur le détective. Pourtant, je vous assure que je suis capable de canaliser les vibrations ectoplasmiques les plus infimes. Malheureusement, ce don ne m'est d'aucun secours ici : la pension n'est pas hantée. »

Sur cette déclaration, madame Smith-Nekrassov tourna les talons et s'en retourna, toujours silencieuse, vers sa chambre.

Comme Bodichiev se recouchait, une nouvelle vibration secoua brièvement la pension. Le métro ne venait pourtant pas encore
jusqu'à Greenwich. Les travaux du Bouddha de l'An 3000 se
poursuivaient-ils durant la nuit ? Bodichiev se rendormit.

✦

Le village de Greenwich se réveillait tranquillement. Quelques
mouettes tournaient dans le ciel en criant, rappelant à Bodichiev
la proximité de la Tamise. Une senteur douce et poivrée flottait
sur la terrasse de la Pension Antokolski. Partout dans la vigne
s'ouvraient de petites fleurs blanches, quatre pétales délicatement
recourbés sur un cœur doré.

« Je crois bien n'avoir jamais vu cette vigne fleurir auparavant », fit Antokolski en versant du thé dans la tasse du détective.

« Cela sent délicieusement bon », répondit Bodichiev. Il
pensait tout autant à l'arôme du thé qu'au parfum des fleurs. Le
fumet montant d'un plat d'œufs brouillés lui chatouillait également
les narines de manière plaisante. Bodichiev s'assit avec un petit
soupir de satisfaction et, s'emparant d'un petit pain viennois,
l'attaqua à belles dents. Son hôte avait installé la table du petit-
déjeuner dans le jardin pour profiter d'une matinée particulièrement
ensoleillée. Seul le fracas persistant du marteau-piqueur, montant de
l'autre côté de la pension, troublait la quiétude du moment. Un
éclat de soleil plus insistant obligea Bodichiev à se protéger les
yeux de la main.

« C'est le Bouddha », expliqua Antokolski. Devant l'air interrogateur de son interlocuteur, il s'empressa d'expliquer : « Les
reflets de la lumière dans l'orbe de la statue peuvent être éblouis-
sants. Madame Smith-Nekrassov s'en plaint parfois. Attendez, je
vais aller chercher le parasol. »

S'étant levé, Antokolski fit mine d'entrer dans la pension puis,
se ravisant, il se campa en bas de la vigne et leva la tête pour
appeler Buxhoevden. « Professeur, le petit-déjeuner est prêt ! »
Sans réponse de son locataire, il renouvela son appel.

« Bizarre, le professeur est toujours le premier levé. Il se fait
décidément de plus en plus sourd. Je vais devoir aller le chercher. »

Une sourde angoisse montant en lui sans qu'il sache réellement
l'analyser, Bodichiev jeta un coup d'œil au *bow-window*. Une
des fenêtres bâillait. « Je vous accompagne ! » jeta le détective

en abandonnant son petit pain. Antokolski pâlit visiblement, envahi à son tour par un sombre pressentiment. Il se précipita à l'intérieur. Lorsque Bodichiev, plus lent qu'Antokolski, arriva à son tour sur le palier, le logeur frappait à coups redoublés à la porte de l'astronome.

« Il ne répond pas. Sa porte est fermée ! » cria Antokolski dans la direction de Bodichiev. Son nez en bec d'aigle surgissait tel un éperon de son visage mortellement pâle. Bodichiev essaya à son tour de tourner la poignée, sans résultat. Il enjoignit à Antokolski d'aller chercher une clef.

« Ortygia ! » s'exclama le logeur pour toute réponse. Il tourna les talons et se précipita dans l'escalier, pour grimper au deuxième étage.

Bodichiev allait devoir se débrouiller seul pour ouvrir cette porte. Il avait horreur de la violence, mais en cas de force majeure…

Un vigoureux coup d'épaule eut raison de la porte.

Le professeur Buxhoevden gisait sans vie sur le plancher, devant le *bow-window*. Un de ses bras repliés semblait lui protéger le visage. Il portait de nombreuses traces de griffures. Son flanc portait une déchirure sanguinolente. Aucune arme ne s'apercevait aux alentours de son corps. Le petit télescope avait chuté contre le mur et l'un de ses verres s'était brisé sous la violence du choc. La main de l'astronome, poisseuse de son propre sang, avait tracé quelques lignes fébriles sur le sol. Bodichiev regarda encore ces signes, comme si leur signification pouvait brusquement lui jaillir à la face. Tout ce qu'il parvenait à distinguer semblait être un V majuscule, suivi de quelques virgules indistinctes. Bodichiev porta un mouchoir à son nez, incommodé par l'odeur qui montait du corps, la fadeur du sang mêlée au poivre des fleurs de la vigne. Des taches rouges tavelaient les vitres du *bow-window*. S'approchant de la fenêtre déjà entrebâillée, Bodichiev utilisa son mouchoir pour finir de ramener le battant vers l'intérieur. Il se demanda encore une fois si quelqu'un avait pu tirer une flèche depuis les frênes. Pourtant, non, dans ce cas il ne faisait aucun doute que la flèche se serait trouvée près du corps. Bodichiev se pencha vers le jardin. Au sol, rien n'indiquait le passage d'un intrus. En revanche, le regard de Bodichiev capta une tache rouge sur le feuillage de la vigne. Il écarta les feuilles, retira rapidement sa main : du sang ! Du sang poissait les feuilles et les fleurs de la vigne. Tirant un mouchoir de sa poche, Bodichiev s'essuya avec une grimace.

Un gémissement le fit se retourner. Ortygia Smith-Nekrassov et Douglas Antokolski se tenaient à l'entrée de la chambre, tous deux le teint pareillement blême, la vieille dame une main devant la bouche.

« Vous avez appelé la police ? lança Bodichiev. *Niet* ? Hé bien, qu'attendez-vous, allez-y vite ! »

Le couple se retira et Bodichiev l'entendit descendre l'escalier à pas précipités. Le détective reporta son regard sur le mort, puis sur les vitres éclaboussées de sang. Il posa sa main sur l'encadrement de la fenêtre ouverte. Pas de doute : elle vibrait. Intrigué, Bodichiev alla poser ses mains sur le mur à droite du *bow-window*. La vibration se ressentait également à cet endroit. Ce ne pouvait tout de même pas être le marteau-piqueur ? Saisi par une idée, Bodichiev tapa du poing sur la pierre du mur. Il récidiva un peu plus loin. Puis encore. Certains endroits sonnaient creux. Le nez au ras du mur, Bodichiev se rendit compte que certaines pierres de la façade étaient disjointes. Il alla tester un autre mur, mais n'obtint que le son sourd d'un mur plein. Il sentit une légère vibration en revanche dans toutes les parois, ainsi que dans le plancher.

Bodichiev sortit de la chambre de l'astronome. Il laissa courir sa main sur la paroi du couloir. La trémulation y courait de manière sourde, presque imperceptible. Se demandant s'il ne se trompait pas, Bodichiev retira sa main et la secoua. Il la posa à nouveau sur le mur. Aucun doute possible : un frémissement le parcourait. Bodichiev traversa le couloir et alla faire le même test sur l'autre paroi. Rien ou presque. Il entra dans sa chambre, passa sa main sur les murs. Il ne sentit pas de vibrations. Retraversant le couloir, il pénétra dans la chambre de Greenland. De ce côté de la pension, la trépidation se faisait nettement ressentir.

Bodichiev descendit l'escalier et entra dans le salon. Antokolski se tenait appuyé contre le mur près du téléphone, l'écouteur à la main. Madame Smith-Nekrassov se tenait le dos très droit, assise dans un fauteuil. Au coup d'œil interrogateur de Bodichiev, Antokolski répondit négativement : ça ne répondait pas. Il poussa un brusque cri, s'écarta du mur en se tenant l'épaule.

« Mais qu'est-ce que c'est que ça ? » s'exclama-t-il, affolé. Bodichiev lui écarta la main : une entaille déchirait la manche de sa veste. Madame Smith-Nekrassov poussa un cri d'alarme. Antokolski demeurait debout, une expression stupide peinte sur le visage. Il contemplait, effaré, le sang qui perlait de sa blessure. Le téléphone pendait au bout de son fil, oublié. Bodichiev frappa du poing sur le mur à l'endroit où Antokolski s'était appuyé. La pierre sonnait creux et une fine entaille fendait l'enduit.

« Les feuilles ! s'écria le détective. Elles traversent le mur ! Vite, réessayez d'appeler la police, mais surtout ne vous approchez pas du mur ! Madame, suivez-moi ! » hurla Bodichiev en tirant la vieille dame par la main. Il se rua au dehors, sans ménagement pour madame Smith-Nekrassov. La plantant au milieu de la terrasse, il voulut écarter les feuilles de la vigne pour accéder à la façade, mais recula précipitamment, les mains entaillées. Une branche se détacha, le cingla avec violence. Titubant, Bodichiev essaya de s'éloigner, une liane le frappa au visage. Madame Smith-Nekrassov s'enfuit en hurlant vers les arbres.

Aveuglé par l'éclat du soleil sur le lointain bouddha, déstabilisé par un nouveau coup de fouet de la liane, Bodichiev trébucha, s'étala sur le carrelage de la terrasse. Sans souci de sa dignité, il se déplaça à quatre pattes vers la pelouse, aussi vite qu'il le put. Hors d'haleine, il se laissa choir dans l'herbe. Derrière lui, le rideau végétal s'agitait avec véhémence. Le sol se mit à trembler, des dalles se soulevèrent.

Antokolski apparut dans l'encadrement de la porte : « Reculez, sortez par la rue, vite ! » lui cria Bodichiev.

Le logeur disparut quand une masse de branches s'abattit dans l'ouverture. Agitées de convulsions, les lianes de la vigne cinglaient la façade et la terrasse.

Bodichiev recula encore, heurta du dos le socle de la statue de Constantin. Qui vibrait également. Bodichiev trouva enfin le moyen de se remettre sur ses pieds et s'éloigna encore un peu plus. Il rejoignit madame Smith-Nekrassov sous l'abri du premier frêne. La terre du jardin ne bougeait pas, tandis que la statue, au ras de la terrasse, commençait à osciller. Des racines s'extrayaient du sol avec une pulsation en se tordant. Le feuillage continuait à s'agiter par vagues, cinglant, giflant, perçant, brisant, lacérant. Fasciné malgré lui, Bodichiev vit les carreaux de la terrasse se soulever sous la pression d'une colossale racine, se briser en une ligne qui partait de la statue jusqu'à la façade de la pension.

Battant comme une veine monstrueuse, la racine s'extrayait des soubassements de Constantin.

Antokolski tira Bodichiev de son hébétude. Il avait contourné la maison par le côté. Des craquements s'élevaient de la pension malmenée. De la poussière, des feuilles volaient. Bodichiev courut vers la cabane au fond du jardin, en ouvrit la porte à la volée. Il chercha en vain un outil utilisable, se heurta au logeur en se retournant.

« Une pioche, avez-vous une pioche ? » cria-t-il. L'autre secoua la tête négativement.

Bodichiev le bouscula, retraversa le jardin en direction de la rue. Les ouvriers avaient interrompu leurs travaux, ils contemplaient la pension d'un air inquiet. Bodichiev se saisit d'une pioche et retourna à la terrasse. Il commença à piocher les dalles à la base de la statue, à l'endroit où gonflait un monstrueux rhizome. Antokolski vint à sa rescousse, bientôt secondé par madame Smith-Nekrassov. Tous deux tiraient sur la racine tressautante. Un des ouvriers les rejoignit et se mit à son tour à piocher au bas du socle. De longues perches rigides jaillirent de la vigne, brandies dans leur direction.

Un grand cri s'éleva brusquement, hurlement de la plante agonisante et de la façade torturée. Le pignon s'effondra dans un grand fracas, emportant dans sa chute le *bow-window* de l'astronome. Bodichiev redoubla d'ardeur.

La racine céda, déchirement de fibres végétales et éclaboussures de sève. Sur la façade, la vigne eut une dernière crispation, puis retomba, inerte. Des pierres se détachèrent, roulèrent à terre. La statue de Constantin bascula en arrière dans un fracas soudain.

✦

La police, arrivée après la bataille, ne put que constater les dégâts. Madame Smith-Nekrassov, l'ouvrier, Bodichiev et Antokolski – tous couverts de poussière – reprenaient leur souffle, affalés dans l'herbe.

« Tout de même, déclara l'inspecteur dépêché sur les lieux, j'aimerais bien comprendre… » Il désigna d'un geste la base de la statue renversée, où naissait un noyau végétal. L'épais rhizome de la vigne meurtrière y trouvait son départ depuis un bourgeonnement à l'ampleur obscène, directement dans la pierre du socle.

Tranché par les coups de pioche, il gisait inerte. Bodichiev émit un petit rire qui s'acheva en toux.

« Moi aussi, j'aimerais bien comprendre », murmura-t-il quand il put reprendre sa respiration. « Cette foutue vigne… Une liane étrange, en fait… » Il se tut un instant, cherchant toujours à reprendre son souffle. « Une liane tueuse… Je n'avais jamais entendu parler d'une telle plante… D'où provenait la pierre de la statue, monsieur Antokolski ? »

L'homme ainsi interpellé détacha son regard de la façade dévastée de sa maison. Il répondit d'une voix rauque : « Mon père avait fait venir un énorme bloc de Sibérie, je crois… D'une météorite qui s'était écrasée cette année-là dans la steppe de la Tungunska. »

André-François RUAUD

André-François Ruaud, né à Angers mais vivant à Lyon, est l'auteur de plusieurs essais sur les littératures de l'imaginaire : **Cartographie du merveilleux** (Folio-SF), **Le Dictionnaire féerique** (Oxymore), **Science-fiction, une littérature du réel** (Klincksieck, avec Raphaël Colson), **Le Grimoire de Merlin** (Hachette Jeunesse, avec Fabrice Colin). Son premier roman, **La Cité d'en haut**, est paru chez Mnémos début 2006. Son deuxième, **Les Vents de Spica**, sortira chez Rivière Blanche en octobre 2008. Ayant collaboré à l'ancien **Fiction** à la fin de son existence et dirigé les derniers volumes de l'anthologie périodique **Étoiles Vives**, il coordonne toujours **Yellow Submarine**, revue d'étude sur la SF paraissant depuis 25 ans, et assure le principal de la direction littéraire des Moutons électriques.

Une nouvelle tête…
ou un nouveau corps?

par **Sylvie BÉRARD**

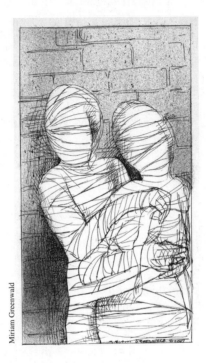

Miriam Greenwald

Vous en avez assez des chirurgies esthétiques, des liposuccions, des traitements de jouvence? Votre médecin vient de vous annoncer que votre peau a atteint les limites de son élasticité? Vous ne voulez plus de traitements cosmétiques qui changent l'âge de vos artères, de votre cerveau, de vos yeux mais qui ne vont jamais au cœur du problème? La greffe cérébrale est peut-être pour vous.

Un peu d'histoire

Dès le XXᵉ siècle, le neurochirurgien américain Robert White s'intéressa à la greffe du cerveau. Pour tout dire, il n'avait que cela en tête! Malheureusement, à l'époque, on concevait mal comment le cerveau humain pouvait fonctionner sans l'enveloppe crânienne.

Comme le déclara le docteur White à une revue scientifique de l'époque : « Le cerveau humain ne peut pas fonctionner proprement sans la tuyauterie du corps et de la tête. Donc une greffe de cerveau, au moins au début, sera en réalité une greffe de tête – ou de corps, suivant la perspective que l'on adopte. » Selon cette logique, les débuts des travaux sur la greffe cérébrale furent marqués par toutes sortes d'excès. Ainsi, en 1970, des chercheurs greffèrent la tête d'un singe sur le corps d'un autre, auquel on avait retiré sa tête originale. Au réveil du primate, le cerveau s'est remis à fonctionner normalement ; le singe a conservé toute son agressivité, son appétit et ses inclinations originales durant les huit jours pendant lesquels il a survécu à l'expérience. Trente ans plus tard, l'équipe du docteur White mit au point une procédure qui allait permettre de réaliser de telles greffes sur des humains. Ses collègues et lui élaborèrent une technique de refroidissement du sang permettant de ralentir le métabolisme du cerveau, le temps de le brancher à son nouveau corps, le plus difficile étant dorénavant, comme le déclarait le docteur White à l'époque, « d'empêcher la tête de rejeter son nouveau corps, et vice versa ».

Au XXIe siècle, la greffe prit une nouvelle tangente. S'écartant des résultats potentiellement tératiques des recherches précédentes (d'autres équipes tentèrent des greffes entre différentes espèces, ce qui souleva l'ire des milieux scientifiques et, surtout, des comités d'éthique), la médecine se concentra sur la greffe de tissu cérébral. Cette technique permettait de fonder de nouveaux espoirs pour les personnes atteintes d'affections telles que la maladie d'Alzheimer, la maladie de Huntington et le syndrome de Bushmill, qui sévissaient alors de manière endémique dans plusieurs régions de la Terre. Selon cette pratique, il ne s'agissait plus de greffer une tête entière sur un corps sain, mais bien de remplacer du tissu cérébral mort par du tissu sain prélevé sur un donneur compatible. Comme toute ponction de tissu cérébral pouvait s'avérer néfaste pour le donneur, le greffon était généralement prélevé chez un fœtus, la culture de cellules rendant possible d'obtenir la quantité de tissu désirée. Ainsi, menées sous l'égide de la neurochirurgienne Natasha Lee, ces recherches permettraient, en 2019, de remplacer avec succès et de manière définitive l'ensemble des cellules cérébrales atteintes d'une victime de la maladie de Lou Gehrig (à laquelle on venait de trouver un nouveau traitement) grâce à du tissu prélevé sur un fœtus récupéré chez la patiente elle-même.

Avec les progrès de la cybernétique, de nouvelles avenues s'ouvrirent pour la greffe cérébrale. Les premiers résultats, toutefois, n'eurent rien de spectaculaire. L'insertion d'implants remplit dans les premiers temps le rôle d'adjuvants, un peu comme, jadis, les stimulateurs cardiaques. Déjà, en 1997, la FDA (Food and Drugs Administration des États-Unis d'Amérique) approuva l'usage d'implants permettant aux patients atteints de Parkinson de contrôler les symptômes de leur maladie. Il s'agissait simplement d'électrodes insérées dans la boîte crânienne du patient, lesquelles électrodes diffusaient constamment d'infimes impulsions au cerveau afin de court-circuiter les tremblements. Durant les premières années du XXIᵉ siècle, les implants cérébraux servirent tantôt à palier les effets dévastateurs de maladies dégénératives, tantôt à redonner leurs sens perdus aux victimes d'accidents. Ainsi, le patient Jens fut, en 2002, l'un des premiers receveurs de l'implant cérébral Dobelle, qui permettait de résoudre des cécités dues à des lésions de l'œil. En 2015, l'implant Suarez étendait le traitement aux victimes d'affections du nerf optique. Cinq ans plus tard, après vingt-cinq ans de recherches, l'équipe du docteur Sawan mettait au point un implant agissant directement sur le cortex visuel.

À partir de là, les développements se précipitèrent. Les cher-cheurs, qui avaient toujours hésité à faire le saut décisif entre le tissu organique et la machine, s'engagèrent dans une véritable course à la neurocybernétique. Bien sûr, la cybernétique avait depuis longtemps souligné les ressemblances entre le cerveau humain et la machine. Comme le cerveau humain, la technologie informatique reposait sur le transfert de mémoire, sur la capacité de saisir toute l'information contenue dans un ordinateur et de la transvaser dans un autre, en quelque sorte. Que se passerait-il, se sont demandé les neurocyber-néticiens, si nous faisions de même avec un cerveau humain ? À l'époque, tout le monde percevait cela comme un scénario de science-fiction, et pourtant les modèles théoriques montraient la faisabilité de la chose.

Il fallut attendre la seconde moitié du XXIᵉ siècle pour que se réalisent les premières expériences sur les humains. Cependant, les premiers essais furent effectués exclusivement sur du vivant. En 2060, la docteure Angélique Konaré réalisa ce qu'elle et son équipe appelaient un « transfert mémoriel ». Le patient Jack, atteint d'une maladie incurable, était condamné à court terme ; l'équipe de la docteure Konaré réussit à transférer la mémoire du patient dans le corps d'un sujet cliniquement mort, mais dont le cerveau avait pu être approvisionné de nouveau quelques minutes après le décès du sujet. Cette expérience fut couronnée de succès : le patient survécut six semaines et ne mourut pas en raison du transfert mémoriel mais des suites d'une hémorragie cérébrale. Cependant, cette opération réveilla un vieux débat qu'on croyait mort au chapitre : celui du clo-nage. On s'était habitué à l'idée de cloner certains tissus organiques afin de réparer des organes déficients, mais la possibilité du transfert mémoriel renouvelait le débat : était-on autorisé à créer un double d'un être humain afin d'y transférer la mémoire de l'individu original ? Vers la fin du XXIᵉ siècle, le passage du biologique au cybernétique, permettant la saisie de la mémoire et de la personnalité d'un individu sur un support informatique afin de l'implanter dans le corps d'un donneur, rendit la technique plus sûre. Cependant, si cela déplaça le débat, cela n'aida certes pas à le tarir.

Éthique

On le voit, toutes ces tentatives pour prolonger l'esprit humain au-delà des limites biologiques, pour le perpétuer au-delà du corps, si l'on peut dire, soulèvent plusieurs questions, et surtout des débats éthiques.

Passons vite sur les implants cérébraux qui touchent certaines régions du cerveau seulement, et servent surtout à conserver les activités dites normales du patient. Personne n'a songé à questionner le bien-fondé d'interventions servant, par exemple, à contrer les effets de maladies dégénératives ou d'accidents vasculaires cérébraux. Chacun des progrès offrant la possibilité aux patients de recouvrer en tout ou en partie leur vision ou leurs capacités intellectuelles fut chaleureusement applaudi. Il se trouva certains groupes pour remettre en question le recours à du tissu prélevé sur des fœtus, mais comme on utilisait déjà des cellules-souches pour soigner d'autres maladies, les résultats obtenus prirent vite le pas sur les objections.

Cependant, la greffe cérébrale, le « transfert de cerveau » comme on dit couramment, suscite plus d'interrogations.

On a déjà évoqué la question du clonage. L'éventualité d'un transfert mémoriel réveille de vieux fantômes : l'envie d'utiliser, aux seules fins égoïstes de sa propre survie, un être vivant ; celle de se perpétuer dans un autre être à qui l'on aurait retiré toutes ses facultés mentales. Que le transfert se fasse de cerveau à cerveau (*BtB Transplant*) ou par la voie d'un support informatique (*CB Transplant*), le débat reste le même : l'opération nécessite la mort cérébrale de l'un des deux sujets.

La greffe cérébrale d'un sujet au cerveau sain vers un sujet au cerveau cliniquement mort soulève un peu moins de difficultés. Dans ce cas, la mémoire du patient est transvidée dans un corps où l'on ne relève plus d'activité cérébrale. D'une part, il n'est pas question ici de cultiver un clone en vue de la transplantation ; d'autre part, le médecin n'a pas à sacrifier un sujet au profit d'un autre. Toutefois, cette technique aussi réveille un vieux débat : celui de la mort cérébrale. Ce débat a des ramifications tant scientifiques (à quel moment un sujet est-il cliniquement mort?) que théologiques (à quel endroit du corps réside l'âme?). Certains groupes religieux prennent ces questions très au sérieux.

Par ailleurs, dès les premiers balbutiements de la greffe cérébrale se dessinèrent d'intéressants paradoxes, qui défiaient toutes les règles connues quant à l'inné et à l'acquis. En effet, dans le cas d'une greffe de tête (ou de cerveau, quoique toutes les expériences aient été un échec lamentable), on se retrouve avec une chimère sur le plan biologique: l'intelligence de la créature est à la fois innée, puisque la tête est greffée avec toute sa mémoire, et acquise, puisque le corps acquiert, d'un coup, tout le bagage contenu dans le cerveau nouvellement greffé. La greffe cybernétique prolonge le paradoxe, l'acquis n'étant plus contenu que dans un support informatique implanté dans un corps nouveau.

Les interrogations, on le voit, sont nombreuses. Cependant, il en reste une essentielle: dans le cas de greffes cérébrales, qui est le donneur, qui est le receveur? Dès que la médecine permit les greffes d'organes, la question se posa: le cœur, le foie du donneur contenaient-ils l'essence de celui-ci? Bien sûr, ces discussions ne franchirent jamais le cap de la preuve scientifique – mais qui peut reprocher à une personne venant de perdre un proche et devant autoriser le don d'organes de ne pas faire montre d'un esprit entièrement rationnel? La greffe cérébrale vint toutefois réactualiser le débat. La situation est fascinante, on en conviendra. Ici, nous nous retrouvons en présence d'un corps contenant toute la mémoire, c'est-à-dire toute la psychologie et toute la personnalité d'un autre individu, et pourtant, aucun corps étranger n'a été inséré dans le sujet. Tout ce que le corps a reçu, c'est l'information qui existait dans l'ancien cerveau, sous forme d'ondes électriques (*BtB Transplant*) ou de pastille informatique (*CB Transplant*). Une telle opération nous force donc à réviser le réflexe qui nous amène à considérer que la greffe se fait du plus petit (le donneur) au plus grand (le receveur). Dans le cas de la greffe cérébrale, même si le patient ressemble trait pour trait (et pour cause!) au sujet cliniquement mort, c'est bien la mémoire intangible contenue dans la pastille informatique ou dans les ondes électriques qui joue le rôle du receveur, le corps entier dans lequel elle est greffée faisant ici office de donneur!

L'implant cérébral aujourd'hui

Après plus de deux cents ans de recherches, on n'en est plus, bien sûr, aux premiers balbutiements de la greffe cérébrale. On est loin des premiers échecs où le receveur ne retrouvait jamais entièrement ses capacités intellectuelles ou sa pleine motricité. Une présélection rigoureuse a par ailleurs réduit au maximum les risques de dérapages psychologiques et les possibilités de fraudes et d'usurpations. La greffe cérébrale est maintenant une technique sûre aux résultats éprouvés, qui ne se fait plus que sur des sujets cliniquement morts (rappelons que les conventions internationales et interplanétaires réprouvent officiellement tout recours au clonage aux fins de greffe cérébrale) soigneusement sélectionnés.

La greffe cérébrale a longtemps été réservée aux cas médicaux les plus lourds, mais on assiste graduellement à une transformation des mentalités. Seuls les patients ayant subi des atteintes physiques irréversibles (lésions extrêmes de la moelle épinière au point que nulle opération n'est envisageable, ou détérioration physique qui exclut tout autre type de greffe) étaient admissibles, mais cela est en train de changer. L'apparition de la méthode, ces dernières années, au nombre des services offerts en clinique privée a permis de démocratiser la greffe cérébrale et de la rendre accessible aux personnes désireuses de s'offrir un corps plus fonctionnel. Bien sûr, l'intervention est coûteuse. Cependant, elle constitue souvent le dernier recours pour les personnes ayant épuisé toutes les possibilités de chirurgies esthétiques, par exemple.

✦

Dans notre prochain numéro : « La greffe cérébrale est-elle pour moi ? Entrevue avec dix greffés cérébraux »

Sylvie BÉRARD

Née à Montréal, Sylvie Bérard enseigne la littérature québécoise à l'Université Trent. Collaboratrice à **Lettres québécoises**, membre de la rédaction de la revue **XYZ**, elle a aussi publié de nombreuses nouvelles dans **imagine…**, **Moebius**, **Nouvelle donne** (France), **Tesseract**, etc. Coauteure du roman **Elle meurt à la fin**, elle a cotraduit des romans de Leona Gom et de Nancy Kilpatrick chez Alire, où elle a publié l'un des romans les plus primés de la science-fiction québécoise, **Terre des Autres** (Alire, 2004).

89.1 ckrl
la radio des découvertes

Programmation 2008-2009
dès le 1er septembre

ckrl 89.1 fm

15 projets de science-fiction à réaliser à la maison

par **Mario TESSIER**

Suzanne Morel

É tant plus jeune, j'étais émerveillé par les technologies avancées que je découvrais dans les œuvres de science-fiction. À l'époque héroïque de l'exploration spatiale, où Apollo s'envolait vers la Lune, tout juste équipé d'un ordinateur de bord dont la puissance équivalait à peine à une calculatrice sophistiquée d'aujourd'hui, le superordinateur Hal 9000[1] du film de Kubrick battait ses coéquipiers humains aux échecs et discutait à haute voix avec eux, en plus de s'occuper du bon fonctionnement d'un vaisseau spatial gigantesque. Une telle invention semblait alors tenir plus de la fiction que de la science. Pourtant, cela fait plus de dix ans que je suis régulièrement rossé aux échecs par des machines considérées aujourd'hui comme obsolètes. Quant à mon ordinateur portable – qui s'adresse maintenant à moi avec les accents de Hal 9000 (et dont j'ai repiqué les échanges[2] pour les subvertir en messages associés aux diverses applications dont je me sers) –, ses capacités se comparent favorablement aux fonctionnalités imaginées par les auteurs de SF de ma jeunesse, même s'il est encore incapable de passer avec succès le test de Turing : reconnaissance vocale et synthèse de la voix, calculs astrométriques avancés, outil servant de vidéophone grâce à sa webcam, encyclopédie multimédia, etc.

Nous sommes trop souvent aveugles aux prodiges de la SF d'hier parce qu'ils sont devenus tout simplement les banalités quotidiennes d'aujourd'hui. Pourtant, les récits dépassés de Verne et de Heinlein suscitent encore cet émerveillement devant les possibilités de la science et de la technologie (les portes des supermarchés ne se dilatent pas encore, mais du moins s'ouvrent-elles automatiquement… et font « shhhhh » comme dans **Star Trek**). Cet enthousiasme ne serait-il pas décuplé d'autant si le lecteur de SF pouvait en devenir l'acteur ? Si la simple lecture de science-fiction peut provoquer le frisson du *sense of wonder*, pourquoi ne pas essayer de vivre une véritable expérience SF à la maison ? Pourquoi ne pas transformer cette fiction littéraire en pratique de la science(-fiction) ? Réaliser ces vieux rêves de SF vous en ôteront-ils le goût et l'appréciation, ou en sortirez-vous blasés ?

Tentez de le savoir en participant à des activités scientifiques qui ont fait rêver les auteurs de SF… et que vous pouvez reproduire dans le confort de votre foyer !

1. Contactez les extraterrestres avec votre soucoupe

Dans le film **Arrival** (1996), le radioastronome Zane Ziminsky, dépossédé de son observatoire, entreprend de se constituer une station SETI (*Search for Extra Terrestrial Intelligence*) privée en utilisant à la dérobée les antennes paraboliques de son voisinage. Grâce à celles-ci, il identifiera un signal extraterrestre.

Le projet, tel que présenté dans ce film hollywoodien, ne tient pas la route pour diverses raisons techniques, et dont la moindre ne serait pas la colère des clients dépouillés de leurs canaux satellite payants. Mais la question se pose : est-il possible pour un particulier de se bâtir une station d'écoute SETI fonctionnelle, et ce, à peu de frais ? La réponse est oui ! Pour quelques milliers, et même pour quelques centaines de dollars si vous êtes débrouillard, vous pouvez effectuer votre propre levée des civilisations galactiques.

Certes, il est plutôt difficile de mettre sur pied un radiotélescope interféromètre (aussi appelé une antenne réseau à commande de phase) comme celle de Ziminsky car il faut, pour cela, contrôler précisément l'espacement entre les récepteurs. Toutefois, la sensibilité des soucoupes utilisées dans le commerce pour la réception des signaux satellites est suffisante pour écouter les éventuels signaux SETI dans la bande micro-ondes. De plus, les capacités de l'électronique et de la micro-informatique d'aujourd'hui se comparent favorablement aux possibilités technologiques des institutions professionnelles d'il y a deux ou trois décennies[3].

Les radioastronomes ont longtemps cherché autour des bandes 406 MHz, 610 MHz, 1,42 GHz et 10,6 GHz. Mais le domaine des micro-ondes et des ondes décimétrique (UHF) peuvent receler des signaux émis par des civilisations qui, comme la nôtre, utilisent la radio et la télévision. Pour la réception dans la région de 1,4 à 1,7 GHz, hautement favorisée par l'activité SETI amateure, la taille optimale de la parabole est de trois à cinq mètres de diamètre. En effet, des antennes larges possèdent un gain plus élevé, et donc une meilleure sensibilité. En Amérique du Nord, où la distribution par satellite de télévision dans la bande « C » est effective depuis déjà deux décennies, de telles antennes sont disponibles en grande quantité, gratuitement ou à bas prix, puisque la réception numérique ne nécessite plus que des soucoupes de 18 pouces de diamètre (une antenne de 3 mètres coûte moins de 1000 $). Il faut cependant qu'elle ne soit pas bosselée – de plus de 2 cm, par exemple – et qu'elle puisse être orientée manuellement au besoin.

Pour le reste, il suffit de disposer d'un micro-ordinateur et de certains appareils électroniques : un amplificateur de faible-bruit, un câble coaxial à pertes légères (le câble utilisé dans les soucoupes TV génère beaucoup trop de parasites pour la détection radio-astronomique), un récepteur micro-ondes, un convertisseur analogique-numérique et un logiciel de traitement du signal. Vous trouverez un diagramme annoté d'une station SETI pour amateur à l'adresse suivante : setileague.free.fr/materiel/blkdiag.php.

Un système prêt-à-monter, antenne incluse, était vendu pour 7000 $US (www.cassicorp.com/order.html), mais on peut se procurer séparément les pièces pour moins de 1000 $ si l'on est le moindrement habile en électronique. La plupart de ces composantes sont d'ailleurs disponibles dans des magasins d'électronique comme Radio Shack (www.radioshack.com/) ou chez des vendeurs spécialisés tels que Radio Astronomy Supplies (www.radioastronomysupplies.com/).

Il existe plusieurs logiciels (www.setileague.org/software/software.htm), dont certains sont même gratuits comme SETIFOX (tinyurl.com/5wro75), pour effectuer le balayage automatique et l'analyse spectrale des signaux.

Vous pourrez commencer à examiner certaines étoiles déjà ciblées par d'autres programmes SETI, notamment le Project Phoenix, grâce au catalogue HabCat (en.wikipedia.org/wiki/HabCat), une liste de plus de 17 000 candidats stellaires, susceptibles d'abriter des planètes habitables. Vous pouvez également examiner les parages électromagnétiques des exoplanètes cataloguées à ce jour : exoplanets.org/cne.pdf.

Plusieurs organisations d'amateurs SETI peuvent vous conseiller dans la construction de votre station. Vous pourriez aussi collaborer avec d'autres amateurs SETI dans le cadre du projet Argus (www.setileague.org/argus/). Je vous suggère donc de prendre connaissance des informations disponibles sur les sites suivants :

Amateur SETI : www.hobbyspace.com/SETI/index.html
Amateurs SETI Home Page : tinyurl.com/2mgs6k

Certes, votre station privée n'aura pas l'importance du programme d'écoute dans **The Listeners** (1972) de Gunn, ou la puissance du Allen Telescope Array (ral.berkeley.edu/ata/), mais vous aurez la satisfaction d'appartenir à la petite coterie des radioamateurs galactiques.

2. Cherchez l'étoile

Dans **Les Enfants d'Icare** (1953) d'Arthur C. Clarke, un des protagonistes de l'histoire, Jan Rodricks, cherche le système stellaire d'où proviennent les Overlords, les extraterrestres qui ont envahi la Terre. Le seul indice dont il dispose repose sur une désignation cryptique de l'étoile : NGS 549672. S'agit-il d'une étoile réelle ? Peut-on identifier cette étoile ?

Dans son roman, Clarke extrapole l'existence d'un catalogue stellaire dont la compilation était en cours lors de la rédaction de son roman. Il mentionne d'ailleurs explicitement le National Geographic Survey, en référence à la National Geographic Society qui avait alors parrainé le relevé photographique du ciel nocturne le plus exhaustif de l'époque, accompli à l'aide du télescope le plus puissant de la planète. Ce catalogue avait débuté en 1948 et était désigné à l'époque sous l'appellation de National Geographic Society-Palomar Observatory Sky Survey (NGC-POSS). La cartographie sera complétée seulement dix ans plus tard, cinq ans après la parution du roman. Mais il faudra encore des décennies avant de traiter l'ensemble des données contenues sur les 1872 plaques photographiques.

En effet, ce n'est qu'en 1986 que le Hubble Telescope Institute numérisera le NGC-POSS afin de mieux coordonner les efforts des astronomes participants à ses projets. Après huit ans d'efforts, le relevé astronomique sera publié en cédéroms sous le titre de **Digitized Sky Survey** (DSS). En 1996, une version plus compressée du DSS sera commercialisée pour les astronomes amateurs sous le nom de RealSky (www.bisque.com/Products/realsky/realsky.asp). Mais ce n'est qu'en 2001, qu'un catalogue céleste répertoriant 89 millions d'objets sera finalement diffusé sous la forme de 4 DVD-ROMs et mis en ligne sous le nom de **Minnesota Automated Plate Scanner Catalog** (aps.umn.edu/).

NGS 549672, le nom de l'étoile des Overlords, n'existe pas réellement dans le NGS-POSS puisque, étant donné le nombre *astronomique* d'objets dans les catalogues stellaires modernes, on préfère utiliser les coordonnées de position plutôt qu'un numéro séquentiel. Clarke nous indique cependant que ladite étoile se trouve à quarante années-lumière dans la constellation de la Carène.

Aujourd'hui, grâce aux recherches sur les exoplanètes, nous savons que la Carène contient des systèmes planétaires ; par exemple, l'étoile HD 65216 (Henry Draper Catalogue) possède une planète de même que OGLE-TR-111 (Optical Gravitational Lensing Experiment). On trouvera une liste des principales étoiles de la constellation de la Carène à : en.wikipedia.org/wiki/List_of_stars_in_Carina. Et on consultera gratuitement le NGC-POSS sur le Web à : archive.stsci.edu/cgi-bin/dss_form.

Toutefois, ne poussons pas trop loin la recherche, car malgré le soin que Clarke apporte à son catalogue stellaire fictif, ce romancier connu pour la valeur scientifique de ses œuvres de SF fait littéralement une erreur de débutant. En effet, la constellation de la Carène, dans laquelle est censée se trouver l'étoile des Overlords, se situe dans le ciel austral et, de ce fait, est pratiquement invisible à l'observatoire du mont Palomar. Le relevé du NGS-POSS devait couvrir le ciel boréal dans son entier et le ciel austral jusqu'à la déclinaison -24° ; Carina se situe dans une région du ciel entre -75° et -50°. Une grossière erreur astronomique !... peut-être engendrée par la passion de l'écrivain pour les tropiques du Sud, ou il vivait depuis 1956.

3.   Faites leur un signe

Qui se souvient des aventures de Philémon et de monsieur Barthélémy sur le « A » de l'océan Atlantique ? Dans cette bande dessinée de Fred, les lettres qui épellent l'Atlantique sur les cartes et les globes forment des îles bien réelles ! Et qui ne s'est pas amusé à tracer des signes visibles de loin ?

Aujourd'hui, avec les outils dont nous disposons, nous pouvons signaler notre présence à la Terre entière. En effet, Google Maps (maps.google.com/) et Google Earth (earth.google.com/) nous permettent de récupérer l'imagerie aérienne et satellitaire pour examiner tous les recoins de la planète. Alors, pourquoi ne pas construire un signe visible sur Google Earth ? Il suffit d'une structure d'environ 20 mètres pour être détectable. Utilisez du matériel à haut contraste ; par exemple, des bandes sombres sur le sable ou sur la neige, ou du ruban réflecteur sur un toit. Vous pouvez également travailler en traits et pointillés, à grande échelle, histoire de laisser les observateurs compléter mentalement la figure élaborée. Travaillez dans des régions habitées puisque ce sont celles qui sont imagées le plus régulièrement. Et construisez pour durer puisque Google peut prendre de quelques mois à quelques années pour mettre à jour ses images.

Par exemple, tout comme le créateur de Philémon, quelqu'un a imaginé qu'il manquait à la planète une indication de la direction du Nord géographique – avec flèche à l'appui, comme dans les atlas et les globes terrestres : tinyurl.com/374jk9.

Trouvez l'inspiration pour votre signe sur un site comme The Earth Explorer (explorer.altopix.com/).

4. Construisez votre propre superordinateur

Les superordinateurs sont légion en science-fiction ; songeons seulement à la série de supercalculateurs Multivac imaginés par Asimov, au monstrueux Colossus du Projet Forbin de D.F. Jones, au fameux Hal 9000 de **2001, l'odyssée de l'espace**, etc.

Mais c'est plutôt difficile d'entretenir un superordinateur Cray chez soi, ne serait-ce que pour l'entreposage de l'azote liquide nécessaire au refroidissement des entrailles d'un tel géant électronique. Il est donc préférable de s'en tenir aux produits commerciaux. Ce qui n'a jamais empêché les hobbyistes, par ailleurs, d'essayer de construire les calculateurs les plus performants possibles, de l'Altair 8800 (vers 1975) en trousse préfabriquée, datant de la préhistoire de la micro-informatique, aux ordinateurs surcadencés d'aujourd'hui, dotés de pompe de refroidissement liquide et de ventilateurs géants.

Mais pourquoi ne pas associer le savoir-faire technologique et le produit commercial ? Par exemple, dans leur nouvelle intitulée « Hormiga Canyon » (parue dans **Asimov's Science Fiction**, Août 2007), Rudy Rucker et Bruce Sterling mettent en scène un amateur de physique théorique qui se plaît à effectuer chez lui des simulations informatiques sur la théorie des cordes. Pour ce faire, il tire parti des capacités de calcul des puces électroniques présentes dans des centaines de téléphones cellulaires désuets, qu'il utilise en vrac pour obtenir la puissance de computation parallèle d'un superordinateur virtuel.

L'idée de se servir d'un vaste nombre d'unités informatique de faible coût est à l'origine de plusieurs superordinateurs appelés Beowulf. Cette technique de calcul distribué a été mise au point dans le milieu des années 1990 au Goddard Space Flight Center de la NASA. Aujourd'hui, les grappes de calcul Beowulf apparaissent dans la liste des 100 supercalculateurs les plus puissants au monde ; certains peuvent compter jusqu'à plusieurs dizaines de stations et totaliser des téraoctets de capacité de disque dur ainsi que des dizaines de gigaoctets de mémoire[4].

Désirez-vous posséder l'embryon d'un superordinateur ? Il n'en tient qu'à vous de décider de sa performance en le composant de vieux ordinateurs ou de machines bon marché. Je vous suggère de commencer par 4 ou 8 unités (identiques) pour vous faire la main. Une machine aura la tâche de serveur tandis que les autres serviront de clients, dans un réseau local. Le système d'opération est généralement de type GNU-Linux, car il est gratuit et peut donc s'installer sans frais sur un grand nombre d'ordinateurs. Notons que l'on peut utiliser une distribution Linux standard, sans logiciels additionnels[5]. Mais diverses bibliothèques d'applications sont offertes pour améliorer les performances du calcul parallèle. L'outil principal pour réaliser de telles opérations est le programme PVM (pour *Parallel Virtual Machine*). Cette interface logicielle sert aux processus pour communiquer entre eux et gérer les calculs en parallèle.

Vous consulterez avec profit les sites :

Beowuf.org : www.beowulf.org/

ClusterMonkey : www.clustermonkey.net/

Engineering a Beowulf-style Compute Cluster (2004) : www.phy.duke.edu/~rgb/Beowulf/beowulf_book/beowulf_book/

Et vous lirez l'ouvrage de Thomas Sterling : **Beowulf Cluster Computing With Linux**, 2e édition, Cambridge (Mass.), MIT Press, 2003, 660 p.

Toutefois, maintenant que vous avez un superordinateur à la maison, il vous faudra ne dormir que d'un œil. Car on ne sait jamais avec ces machines-là. Hal, ouvre la porte du salon… Hal… Hal…

5. Découvrez la comète de la fin du monde et devenez célèbre

En 1994, j'étais parmi les astronomes amateurs qui pointèrent leurs télescopes vers la planète Jupiter. On pouvait y voir le résultat de l'impact de la comète Shoemaker-Levy 9 avec l'atmosphère jovienne. Depuis cette époque, plus personne ne doute de la réalité des collisions planétaires. Mais les fins du monde et catastrophes planétaires étaient déjà légion en science-fiction ; songeons seulement à **La Comète de Lucifer** (1977) de Wallace, au **Marteau de Dieu** de Clarke (1993), ainsi qu'aux films hollywoodiens tels que **Le Choc des mondes** (1951) et **L'Impact** (1998), sans compter les exemples plus anciens comme « L'Étoile » (1897) de Wells et « La Conversation d'Eiros et de Charmion » (1839) de Poe.

Songez à la (courte) célébrité qui sera la vôtre si vous découvrez l'astre/désastre qui mettra fin à l'ère quaternaire ! Bien que les astronomes professionnels aient décidé de se lancer eux aussi à la chasse aux comètes avec des programmes d'observation tels que LINEAR, LONEOS et NEAT, utilisant des télescopes automatisés, cette activité demeure encore populaire chez les astronomes amateurs. Pas besoin de matériel sophistiqué puisqu'on utilise surtout le grand champ pour couvrir le ciel ; la chasse aux comètes s'effectue souvent aux jumelles.

Pour ceux qui désirent plutôt rester au chaud, vous pouvez toujours rechercher sur Internet, dans les archives de la sonde SOHO (ares.nrl.navy.mil/sungrazer/), les comètes qui se sont déjà consumées dans le Soleil lors d'une ultime trajectoire d'approche. Bien entendu, elles ne représentent plus de danger ! En dix ans d'opérations, on a récupéré les images de plus d'un millier de ces comètes, appelées aussi *sungrazers*.

Pour ceux qui voudraient se mettre à la chasse aux astéroïdes, il faudra s'équiper d'un capteur CCD, d'un télescope d'ouverture moyenne (miroir de 8 po ou de 20 cm), et d'un logiciel de traitement d'images. En effectuant des photographies du ciel, on enregistrera probablement 4 ou 5 astéroïdes dans une nuit d'observation. Ensuite, il faudra réduire les images pour enlever les « bruits » parasites dans la photographie électronique et intégrer les différentes séquences d'acquisition. On identifiera les astéroïdes grâce aux traits lumineux de leur passage sur le fond des étoiles fixes. Finalement, on calculera leurs orbites pour voir s'il s'agit d'astres déjà répertoriés ou de nouveaux astéroïdes. On communiquera alors avec Brian Marsden au Minor Planet Center (cfa-www.harvard.edu/iau/mpc .html) pour aviser les astronomes professionnels de la découverte. Depuis quelques années, on a dépassé le cap des 200 000 astéroïdes répertoriés mais il y en a encore beaucoup à trouver.

Pour plus d'informations :
Association des Utilisateurs de Détecteurs Électroniques (AUDE) : www.astrosurf.com/aude/
Spaceguard : spaceguard.esa.int/
Et dépêchez-vous. Juste au cas où…

6. Découvrez un médicament révolutionnaire dans vos temps libres

Vous n'êtes pas ferré en biologie et vous ne connaissez que dalle en physique. D'accord. Mais que cela ne vous empêche pas de jouer les Pasteur ou les Pauli! Servez-vous plutôt de votre ordinateur domestique pour collaborer à des projets de recherche. Et si vous décrochez la timbale, ce n'est tout de même pas votre machine qui ira chercher le Nobel, mais bien vous!

Comme les scientifiques croulent sous la cueillette des données et que les supercalculateurs capables de traiter ces informations sont souvent inaccessibles, ils font de plus en plus appel à des grilles de calcul constituées par des centaines, sinon des milliers d'ordinateurs disséminés dans le monde et travaillant de concert grâce à l'Internet et à des logiciels de calcul distribué. Les analyses mathématiques s'effectuent en tâche de fond, sans vous gêner dans l'utilisation de votre machine.

Par exemple, depuis 1999, SETI@home (setiathome.berkeley .edu/) a permis d'analyser les données issues du radiotélescope géant d'Arecibo afin de rechercher des signes d'intelligence extra-terrestre. J'ai d'ailleurs personnellement contribué, à l'aide de 796 jours de temps-machine, à identifier une étoile candidate pour un signal. L'étoile en question, désignée sous le vocable SAHGn05+18a (tinyurl.com/4gv2d2) se situe à 5 h 18° d'ascension droite.

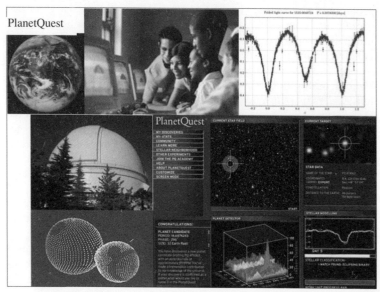

Grâce à la World Community Grid (www.worldcommunity-grid.org/), plus de 500 000 ordinateurs travaillent à faire avancer la recherche médicale dans plusieurs projets; par exemple, dans l'étude des interactions entre protéines impliquées dans les dysfonctionne-ments neuromusculaires, ou encore avec des simulations sur le repliement du protéome humain (www.alliancefrancophone.org/). Ainsi, en 2003 seulement, grâce à l'informatique distribuée, et en moins de trois mois, la communauté scientifique a pu identifier 44 traitements possibles permettant de lutter contre la variole, maladie mortelle.

D'autres projets passionnants, littéralement inspirés par la SF, seront mis en route sous peu, tels Orbit@home (orbit.psi.edu/), dont l'objectif consiste à analyser les astéroïdes géocroiseurs (vous pouvez ainsi sauver la planète, voir projet précédent) et PlanetQuest (www. planetquest.org/), qui se servira du calcul distribué et des observa-tions effectuées par de grands télescopes, tel celui de l'observatoire Lick sur le mont Hamilton, pour détecter les exoplanètes.

Vous trouverez une liste de projets auxquels vous, et votre ordi-nateur, pourrez contribuer à : en.wikipedia.org/wiki/List_of_distri-buted_computing_projects.

7. Manipulations génétiques,
ou apprendre à jouer *La Musique du sang*

Dans le roman de Greg Bear, **La Musique du sang** (1985), le protagoniste se sert de son propre matériel génétique pour créer des ordinateurs nanobiologiques qui évolueront rapidement pour assi-miler finalement toute la biosphère, version moderne du Blob, revu et corrigé à la lumière de la nanotechnologie.

Je ne vous exhorterai pas à reproduire les douteuses expé-riences biologiques du roman – on en fera d'autres un peu plus loin... –, mais plutôt à vous inspirer du titre. Déjà en 1980, Douglas Hofstadter, dans son livre séminal **Gödel, Escher, Bach : les brins d'une guirlande éternelle**, commentait les similarités entre la gé-nétique et la musique : « Imaginer le mRNA comme un long mor-ceau de bande d'enregistrement magnétique, et le ribosome comme un magnétophone. Pendant que la bande traverse la tête de lecture de l'enregistreur, il est converti en musique, ou d'autres bruits [...] Quand une bande de mRNA traverse la tête de lecture d'un ribosome, les notes produites sont des acides aminés et les morceaux de musique qu'ils composent sont des protéines. »

Alors pourquoi ne pas transformer notre génome en musique ! Et c'est exactement ce que certains ont fait. Par exemple, vous trou-verez sur le site de Todd Barton (www.toddbarton.com/) des pièces de musique réalisée à partir de séquences d'ADN. Ainsi, il est possible de prendre une séquence telle que « TAGCTGGGATTACAAG-CATGTA » et la mettre en notes de musique grâce à des algorithmes. On vous expliquera comment faire sur la page : A Protein Primer : A Musical Introduction to Protein Structure (www .whozoo.org/mac/Music/Primer/Primer_index.htm).

Vous trouverez d'autres exemples de musique moléculaire et pourrez écouter des fichiers de type mp3 sur ce site : www.molecularmusic.com/. Une liste plus complète de sites de musique génétique se trouve à : whozoo.org/mac/Music/Sources.htm.

Vous aussi pouvez donc composer votre propre musique du sang en puisant votre inspiration dans le génome humain. Comme il y a plus de trois milliards de paires de bases dans notre code génétique, vous ne manquerez pas de mélodies potentielles. Vous puiserez les données sur les sites suivants. Nos gènes sont encore, pour l'instant du moins, dans le domaine public :

Human Genome – Gutenberg Project :

www.gutenberg.org/browse/authors/h#a856

e ! Ensembl Human : www.ensembl.org/Homo_sapiens/

Des logiciels comme BioEditor, MicroTone et Bio2MIDI, existent déjà pour extraire les données des fichiers numériques et automatiser le processus de séquençage en fichiers musicaux de type MIDI. Vous les trouverez sur le site de Algorithmic Arts (www.algoart.com/). Notons également l'existence du programme java ProteinMusic (www.aber.ac.uk/~phiwww/pm/).

Il ne nous reste plus qu'à attendre – et entendre – vos concerti moléculaires et quatuors génomiques. Mais, s'il-vous-plaît, pas de symphonie sur la déshydrogénase 5 de l'enzyme de nicotinamide adénine dinucléotide du gène d'ADN mitochondrial. C'est déjà fait. Merci.

8.   Explorer le cosmos (virtuellement)

Dans la série télévisée **Star Trek : Voyager**, une pièce du vaisseau spatial est dédiée à l'astrométrie – Hollywood découvre tardivement le planétarium – et sert à l'astronavigation dans la galaxie. Un écran géant permet d'agrandir une partie de l'espace interstellaire et d'examiner les astres selon son bon plaisir.

Aujourd'hui, nos ordinateurs personnels sont parfaitement capables d'afficher des cartes stellaires complexes et d'explorer des surfaces planétaires par procuration. En effet, l'Internet, par le biais des sites Web de Google, permet d'avoir accès à des mappemondes détaillées de la Lune (www.google.com/moon/) et de Mars (www.google.com/mars/). Notons aussi que l'on peut voir la Terre sous toutes les coutures, numérisée par satellite, grâce au logiciel Google Earth (earth.google.fr/). Ce logiciel dispose, entre autres, d'un véritable simulateur de vol (essayer la séquence ctrl-alt-A ou commande+option+A pour les Mac) permettant le survol aérien des paysages, ainsi qu'une carte du ciel où l'on retrouve de véritables photos des objets dans les principaux catalogues astronomiques. Le site Web de Google Sky (www.google.com/sky/) permet la même chose.

La NASA offre un logiciel semblable, mais destiné à un usage plus scientifique, car il permet d'explorer la surface de la Terre, Mars, Vénus et Jupiter, ainsi qu'une carte du ciel, en surajoutant des couches de données provenant des diverses sondes planétaires. Cette application, World Wind (worldwind.arc.nasa.gov/), est gratuite, comme presque tous les autres programmes informatiques mentionnés ici.

On trouvera également un excellent simulateur du système solaire sur le site Web du Jet Propulsion Laboratory (space.jpl.nasa.gov/). Et on vous montrera à quoi le ciel ressemble vu d'une autre étoile, par exemple d'Alpha Centauri, sur Astronexus (astronexus.com/). Le programme StarStrider (www.starstrider.com/) vous permettra même de naviguer en 3D! Seeker (www.bisque.com/help/Seeker/SeekerInfo.htm), un logiciel commercial, vous offrira un environnement immersif et interactif, véritablement impressionnant dans sa reconstitution des panoramas célestes. Des logiciels comme Redshift (www.redshift.de/) ou Perseus (www.elitalia.it/perseus/), dont il existe une version partagicielle, reproduisent l'apparence du ciel vu d'un autre astre du système solaire. Ainsi, vous assisterez au lever des deux lunes sur Barsoom – pardon, sur Mars! – ou à la danse des satellites et des anneaux de Saturne, installé confortablement dans votre fauteuil sur la surface de Japet. Connectez votre ordinateur à votre cinéma maison et vous vous croirez sur la passerelle de l'*Enterprise*!

Et pour ceux qui voudraient découvrir les surfaces des planètes et satellites de notre système solaire, je vous propose les sites suivants:

Planetary Photojournal: photojournal.jpl.nasa.gov/

Welcome to Map-a-Planet: pdsmaps.wr.usgs.gov/

Planetary Data System: pdsimg.jpl.nasa.gov/

Lunar Map Catalog: www.lpi.usra.edu/resources/mapcatalog/

Index of Maps of the Planets and Satellites: astrogeology.usgs.gov/Projects/MapBook/

Tel un nouveau Magellan du XXIᵉ siècle, voguez électroniquement sur les océans de données et découvrez de nouvelles places fabuleuses et virtuelles.

9. Exocuisine exotique,
ou voulez-vous un peu de gagh sur votre soleil vert ?

Vous organisez une petite réception et désirez impressionner vos amis amateurs de SF par vos talents culinaires. Pourquoi ne pas leur faire vivre une expérience inoubliable en leur servant des plats inspirés de cuisines imaginaires ? Laissez libre cours à votre imagination et puisez dans vos lectures ou dans les films que vous et vos amis appréciez.

Par exemple, procurez-vous des biscuits secs de plusieurs couleurs, disposez-les sur des plateaux avec de petits cartons intitulés soleil vert, rouge, jaune. Pour le *gagh*, si goûté des Klingons, prenez de longs macaronis et badigeonnez avec de l'antipasto aux tomates séchées. (N'oubliez pas que le *gagh* est bien meilleur lorsqu'il est servi frais, c'est-à-dire lorsqu'il vit et bouge encore. Si vous êtes sceptique, rabattez-vous sur le haggis !) Le *pâté de sang de Rokeg* se prépare très simplement, en plongeant des betteraves entières dans un bol de gaspacho. Remarquez qu'il existe de savoureuses variations régionales, ou interplanétaires, et que l'on pourrait aussi inventer une *pizza au sang de Rokeg* en y mettant de la viande rouge, des tomates et de la sauce piquante. Hummm ! Vous pourriez également vous inspirer de la nouvelle cuisine française en proposant dans de grandes assiettes des plats minimalistes avec un cœur de *targ de lait* (essayez des cailles), un *glop* en lamelles, cuites à la vapeur, accompagné d'un délicieux coulis de framboises...

Toutefois, si vos talents de chef ne dépassent pas le niveau du four à micro-ondes, préparez une spécialité centaurienne comme le *spoo*... Ça goûte le poulet, alors, pour autant qu'on sache, ça peut bien être du poulet.

N'oubliez pas la décoration de votre table et pensez aux petites attentions qui feront de votre banquet une réussite mémorable. Par exemple, envoyez à vos convives des cartons d'invitation affichant le menu ainsi qu'un proverbe SF approprié, du genre : « Aujourd'hui est un bon jour pour mourir. » Ceux-ci apprécieront sûrement la délicatesse. Bien entendu, quelques breuvages devront faire honneur à votre table : la bière romulienne (bières blondes, de préférence, avec quelques gouttes de colorant alimentaire vert), le café des hommes en noir (sans lait ni sucre, évidemment), et le classique *Gargle Blaster Pan-Galactique*, dont la recette est classée dans le rayon des armes de destruction massive.

Bonne chance dans vos expériences gastronomiques et/ou gastroentérologiques. Rien qu'à y penser, j'en ai le monoxyde de dihydrogène à la bouche !

10. Le passé du futur est à vapeur : la rétro-technologie

La science-fiction, c'est aussi l'anticipation victorienne telle que la pratiquait Jules Verne, avec ses machines à vapeur, ses mécaniques gigantesques et son esthétisme du levier et du piston. Pourquoi ne pas se mettre au diapason de la SF de grand-papa en transformant une technologie moderne avec les outils du XIXe siècle ? Certains amateurs ont modifié ainsi des claviers ou des écrans d'ordinateurs pour en faire des exemples de *steampunk*. Vous avez du matériel, maintenant, ayez du style ! Fouillez dans les greniers et les caves à la recherche de vieilles radios à lampe, de commutateurs antiques, de bases en bronze ou de vieilles machines à écrire. Avec un peu d'imagination, vous vous fabriquerez un *oscillateur aethérique*, un *disrupteur à ondes hertziennes*, un *visiphone-o-pode*, ou même, pourquoi pas, un *spirographeur contraputronique à phlogiston*.

Vous aussi pourrez alors faire partie de la Ligue des gentilshommes et gentillesdames extraordinaires. En plus d'être un héros du recyclage...

Vous trouverez des exemples d'objets rétro-technologiques sur les sites suivants :

The Steampunk Home : thesteampunkhome.blogspot.com/
The Steampunk Workshop : steampunkworkshop.com/
The Steampunk Magazine : www.steampunkmagazine.com/
Æther Emporium : etheremporium.pbwiki.com/
Brass Goggles : www.brassgoggles.co.uk/brassgoggles/

Afin d'alimenter votre imagination, consultez une bibliographie d'ouvrages steampunk à :

www.erwelyn.com/steampunk.html/.

11. Le futur du passé est électrique : l'atelier du savant fou

Que serait la science-fiction sans ses savants fous ? Or, qui dit savant fou, dit également accumulateurs géants, machines électrostatiques de Van der Graaf, générateurs d'arcs et bobines de Tesla.

Ce dernier est même très certainement l'une des figures excentriques dont on s'est servi le plus souvent pour illustrer les génies scientifiques, lors des débuts de la SF. À la fin de sa vie, Tesla parlait d'ailleurs de téléportation, de voyage dans le temps, etc. L'iconographie classique des films de Frankenstein tire justement parti de ses appareils et inventions électriques et s'inspire aussi, sans aucun doute, de son accent serbe, lui qui était né sous l'Empire austro-hongrois.

Peut-être est-ce sous l'influence du film **Le Prestige** (2006), où l'on voie Nikola Tesla utiliser une version alternative d'un transformateur à haute intensité pour téléporter un illusionniste, mais les bobines de Tesla artisanales font récemment l'objet d'un engouement chez certains amateurs de « technologie extrême », comme en témoignent de nombreuses vidéos sur YouTube. Certains s'en servent pour réduire des pièces de monnaie (teslamania.delete.org/frames/shrinker.html), d'autres pour produire des tonalités musicales (scopeboy.com/ et tinyurl.com/ywbma2), tandis que d'autres encore les utilisent pour manipuler le plasma électrique de manière spectaculaire.

Vous trouverez plus d'une centaine de sites Internet sur les bobines de Tesla dans le Open Directory (www.dmoz.org/), dont plus d'une quarantaine uniquement sur la construction de celles-ci. Bien que ces appareils électriques nécessitent des pièces spécialisées, vous pourrez dénicher plusieurs composantes dans les rebuts et chez les ferrailleurs ; par exemple, dans des transformateurs de signes à néon, des bobines d'allumage automobile, des fours à micro-ondes, des compresseurs de climatiseurs, etc. (Rappelez-vous cependant que si l'électricité est votre amie, elle peut être aussi une très dangereuse et meurtrière petite amie. Prenez les précautions appropriées en présence de haut voltage. Vous avez été averti !)

Jetez un coup d'œil aux sites suivants :
Teslamania : www.teslamania.com/
Transformateur Tesla : members.aol.com/lyonelb/tesla.html
Résonateur Tesla France : www.teslacoil-france.net/

Ah oui, j'oubliais, la téléportation par l'électricité... ça ne fonctionne pas. Ouch !

12. Alerte au Blob!

Le film **Le Blob** (1958), avec la première apparition à l'écran du légendaire Steve McQueen, est horrible de plus d'une manière. On y retrouve une masse gélatineuse, venue sur Terre dans une météorite, qui absorbe toutes les matières organiques sur son passage. Étrangement, la même année, Stefan Wul faisait paraître son roman **La Mort vivante**, dans lequel une expérience génétique tourne mal et donne naissance à une créature semblable, qui incorpore tout ce qui est vivant. (Cette coïncidence provient-elle du fantasme commun né de la peur inconsciente vis-à-vis du péril communiste, qui venait tout juste de conquérir le ciel avec Spoutnik l'année précédente?)

Nous reprendrons donc les expérimentations du maître biologiste Joachim, juché dans son château des Pyrénées, pour recréer nous aussi ce monstre gélatineux et grotesque. (Insérez rire démoniaque.) Bon... ce ne sera pas vraiment un blob gigantesque et meurtrier, mais ça y ressemblera tout de même un tout petit peu. En effet, à l'aide d'une pincée de chimie amusante, nous parviendrons à produire ce qu'on appelle un matériau rhéopectique. Il s'agit d'une petite manipulation de moins de 15 minutes, assez facile à effectuer, avec un matériel minimal.

Nous aurons besoin des ingrédients suivants:
- du mucilage (comme la bonne vieille colle Mucilage de Lepage);
- du borax en poudre de cristaux;
- 1 bouteille d'eau distillée;
- 1 cuillère;
- 2 flasques de verre;
- et de la gouache.

Pour obtenir votre blob:
1. Mélangez, dans une flasque de verre, une cuillerée de borax à l'eau distillée. On obtient ainsi une solution claire d'acide borique.
2. Dans une seconde flasque de verre, mélangez en égale quantité eau et mucilage. Versez un peu de gouache pour colorer la solution.
3. Additionnez ensuite au mucilage une cuillerée de la solution de borax. Le liquide se transformera alors en blob visqueux et légèrement collant. Ajoutez un peu de solution de borax tant que vous n'aurez pas la texture désirée. Pour plus d'élasticité, mettez moins de borax. Vous pouvez faire luire votre blob dans l'obscurité en ajoutant un pigment phosphorescent de type Day-Glo à la solution.

Vous venez de créer ainsi un polymère simple. Les ions provenant de la dissolution du sel de borate de sodium forment des liens d'hydrogène avec les chaînes d'acétate de polyvinyle (la colle). Le résultat est un fluide non-newtonien, appelé rhéopectique, car il montre un accroissement de sa viscosité sous un effort de compression. Autrement dit, plus on joue avec, plus il devient épais et visqueux !

Vous trouverez toutes les étapes de l'opération (http://tinyurl .com/24qoly) sur le site du Make Magazine (makezine.com/maga-zine/).

13. Le fusil à canon magnétique

Les pistolets à rayons (tinyurl.com/36xz6t) de Buck Rogers et de Flash Gordon constituent l'un des clichés universels de la SF. Et d'ailleurs, qui ne voudrait pas posséder un rayon de la mort, un fusil à plasma ou un *phaser* capable de nous débarrasser des pestes cosmiques trop enquiquineuses ?

Penchons-nous donc sur l'une de ces armes de science-fiction : le fusil à impulsion électromagnétique, aussi appelé canon de Gauss (ou *coilgun*). Cette arme potentielle est étudiée par l'armée car elle permettrait de lancer des projectiles à vitesse hypersonique, dans le plus grand silence et, surtout, sans signature infrarouge, donc indétectable par l'ennemi. Plusieurs variantes du fusil électromagnétique[6] existent, comme le canon électrique (ou *railgun*), présenté dans le film **L'Effaceur** (1996).

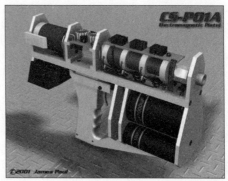

Il ne s'agit pas ici de mettre sur pied une arme dangereuse, mais plutôt d'une démonstration de faisabilité pour des projets plus ambitieux. En effet, la puissance de ce fusil magnétique ne dépasse pas celle d'une carabine à plomb. (Autrement dit, le projectile lancé renverserait une bouteille de plastique vide mais ne percerait pas le récipient). Toutefois, le principe peut être appliqué sur de vastes échelles, par exemple, en transformant ce lanceur en catapulte électromagnétique (ou *mass driver*) capable d'envoyer des véhicules sur orbite. Restez modeste et construisez un lanceur EM avec des matériaux électroniques récupérés dans des caméras flash jetables ou des moniteurs vidéo, alimenté par des batteries commerciales.

Pour ce faire, vous trouverez des informations sur la construction de ces fusils magnétiques sur les sites suivants :
World Coilgun Arsenal : www.coilgun.org/
Coilgun Systems : www.coilgun.eclipse.co.uk/
Barry's Coilgun Design Site : www.coilgun.info/home.htm
Gauss Pistol Home : www.gausspistol.com/

La liste des sites sur le *coilgun* est plutôt longue. Comme on le voit, il y a beaucoup de gens qui possèdent déjà leur canon électro-magnétique portable. Désirez-vous vraiment être le seul à ne pas être armé d'un pistolet à rayons sur votre rue ? Après tout, comme le proclame la devise des **Armureries d'Isher** (Van Vogt, 1951) : « Être armé, c'est être libre »…

14. Mettez fin à l'univers…
ou suivez les instructions pour la fin du monde

Dans l'une des nouvelles les plus célèbres d'Arthur C. Clarke, « Les Neuf milliards de noms de Dieu », des lamas tibétains font l'acquisition d'un calculateur électronique afin de compléter leur travail de compilation de tous les noms possibles du Créateur. Lorsque l'ordinateur achève finalement son programme, les étoiles disparaissent une à une du ciel…

À l'époque de la rédaction de cette nouvelle, en 1953, les ordinateurs étaient surtout utilisés pour des tâches numériques de calcul. Toutefois, on commençait déjà à entrevoir leurs possibilités pour l'analyse des textes. Construire des chaînes de caractères en fonction de permutations est donc un exercice de base en programmation, et, pendant longtemps, les étudiants en informatique devaient rédiger des programmes qui ressemblaient étrangement aux conditions imaginées par Clarke ; comme quoi leurs professeurs n'étaient pas aussi ignorants de la SF que l'on pourrait le croire.

Comme le seul langage de programmation dont je me rappelle encore est le BASIC (ce qui trahit certainement mon âge), je vous offre ce petit algorithme qui devrait reproduire les conditions du protocole de permutations. Vous trouverez facilement dans Internet un compilateur gratuit ou adapterez le programme en Pascal, Python ou tout autre langage avec lequel vous êtes familier. Remarquez que, dans la fiction de Clarke, les moines bouddhistes se servaient d'un alphabet de leur composition dans le cadre de toutes les combinaisons possibles de 9 lettres, mais qu'ils interdisaient certaines répétitions. Pour le besoin de l'exercice, nous utiliserons 9 lettres prises au hasard dans notre alphabet (5 voyelles et 4 consonnes) et ignorerons délibérément les récurrences.

$X^n + Y^n = Z^n$
*impossible
si $n > 2$.
J'ai trouvé une
merveilleuse
démonstration de
cette proposition,
mais la marge est
trop étroite pour
la contenir.*

```
INITIALISER LETTRE($) = A,E,I,O,U,B,K,L,Z
INITIALISER NOMBRETOTAL = 0
FOR X1 = 1 TO 9
FOR X2 = 1 TO 9
...
FOR X9 = 1 TO 9
NOMDEDIEU($) = LETTRE(X1)+LETTRE(X2)+... +LETTRE(X9)
PRINT NOMDEDIEU($)
NOMBRETOTAL = NOMBRETOTAL+1
NEXT X9
NEXT X8
...
NEXT X1
PRINT NOMBRETOTAL
END
```

Le nombre total de permutations possibles égale 9 à la puissance 9, soit 387 420 489… un chiffre qui est loin des 9 milliards du titre. Clarke faisait dire à ses moines qu'il leur aurait fallu 15 000 ans pour réaliser manuellement ce projet. Avec leur calculateur Mark V, la tâche aura nécessité un peu moins de trois ans. Mais avec votre micro-ordinateur, il ne vous en coûtera seulement que quelques minutes pour générer les centaines de millions de noms secrets de Dieu[7].

Bien entendu, si vous provoquez l'anéantissement du cosmos tout entier, vous n'aurez qu'à vous en prendre à vous-même. Je vous aurai averti. En attendant, je surveillerai tout de même le ciel au télescope. Et je compterai les étoiles.

15. Le réacteur nucléaire de cuisine

Le surgénérateur fut, au début du développement de l'industrie nucléaire, un graal recherché pour son rendement théorique. En effet, la surgénération permettrait de multiplier considérablement les ressources d'énergies liées à l'extraction et à l'utilisation de l'uranium, en transmutant le thorium, élément plus abondant que l'uranium, en isotopes radioactifs. Toutefois, de nombreuses difficultés techniques ont entraîné l'abandon de ce type de centrale atomique, particulièrement polluante et coûteuse.

Mais si une industrie tout entière a tourné le dos à ces dangereuses expériences, ce n'est toutefois pas une raison pour empêcher un simple particulier de se lancer dans une telle opération! Et c'est en effet ce qu'avait entrepris un scout (entre tous!) en 1994. David Hahn, âgé de dix-sept ans à l'époque (en.wikipedia.org/wiki/David _Hahn), avait réussi à accumuler suffisamment de matériel radioactif à partir de substances domestiques, disponibles sur le marché, pour construire un réacteur rudimentaire capable de produire des isotopes fissibles. L'Agence de protection environnementale américaine

(EPA) dut envoyer des techniciens en costumes *hazmat* pour détruire la remise où il effectuait ses manipulations et nettoyer le site de ses matières radioactives.

Vous trouverez le récit de ces expérimentations atomiques dans un article du **Harper's Magazine** (harpers.org/archive/1998/11/ 0059750), et dans un livre intitulé : **The Radioactive Boy Scout**.

Maintenant, si vous croyez que je vais vous dire, à VOUS (entre tous), comment bâtir votre propre réacteur nucléaire dans votre cuisine… vous êtes certainement plus fou que moi !

Et votre projet est…

Pour ce dernier projet de SF à la maison, je fais appel à votre imagination. Faites-nous parvenir (en utilisant expressément ce lien : http://www.revue-solaris.com/ccontact.htm) votre idée et nous publierons les meilleures sur notre site Internet. Le concepteur du projet le plus original, mais malgré tout réaliste, se verra offrir un abonnement d'un an à **Solaris**. La date limite est le 31 décembre 2008, qu'on se le dise !

Savants fous et amateurs en tous genres (ou vice-versa)… à vos interociteurs !

Mario TESSIER

Notes

1. Pour une discussion des capacités de la série 9000, voyez la version Internet de l'ouvrage **Hal's Legacy : 2001's Computer as Dream and Reality**, édité par David G. Stork, Cambridge (Mass.), The MIT Press, 1996, 384 p. Sur le Web à : mitpress.mit.edu/e-books/Hal/contents.html

2. Vous trouverez les extraits des dialogues de Hal 9000 en format wav sur le site du Hal Project : www.halproject.com/. Vous pourrez également y télécharger un excellent logiciel de sauvegarde d'écran qui reproduit la console d'écrans de Hal.

3. Les amateurs peuvent obtenir des sensibilités comparables aux premières phases du NASA All Sky Survey, un programme mené par le JPL au début des années 1980. En effet, même en utilisant de petites antennes, mais en employant des techniques de réduction de signaux, par exemple, en isolant le signal en bandes plus étroites (0,6 à 1 Hz au lieu de 20 à 32 Hz), une analyse informatique permet d'augmenter le rapport signal sur bruit, compensant ainsi pour la faible dimension d'ouverture de la soucoupe. Consultez aussi : « One Hundred Up, 4900 To Go ! A Project Argus Update » par H. Paul Shuch, disponible à : www.contactin context.org/cic/v2i1/Argus.pdf.

4. Les Beowulf se classent régulièrement dans les vingt premières positions au top 500 des superordinateurs (www.top500.org/). Prenons l'exemple de MareNostrum, fabriqué par IBM, pour le Supercomputing Center de Barcelone. Sa capacité de calcul est estimée à 94 téraflops (mille milliards d'opérations par seconde). Les micro-ordinateurs qui le composent sont répartis sur 44 bâtis, pour un espace total de 120 m³. Il est utilisé pour des applications médicales.

5. Il existe actuellement plusieurs distributions Linux, conçues spécifiquement pour gérer des Beowulf : ClusterKnoppix (basée sur Knoppix), dyne : bolic (pour la production multimedia), Rocks Cluster Distribution, Scyld. Notons aussi DragonFly, pour le système d'exploitation BSD (Berkeley Software Distribution). On peut également se servir de versions moins sophistiquées comme : RedHat 6.0, Mandrake 6.0, SuSe 6.1, Debian 2.2. Cependant, pour se servir de ces distributions, il faut au préalable charger quelques utilitaires supplémentaires. Mais, en procédant avec des cédéroms de démarrage Knoppix, en combinaison avec OpenMosix, les ordinateurs communiqueront automatiquement entre eux, évitant ainsi de complexes configurations. Vous aurez alors un Beowulf utilisant au maximum le potentiel des puces et des mémoires de la grappe de calcul. Ce type de système est extensible à un nombre illimité de machines.

6. Notons qu'un lanceur électromagnétique à rails, nommé Pegasus, a été développé par l'Institut franco-allemand de recherches de Saint-Louis. Des projectiles d'un kilo pouvaient être tirés à la vitesse de 2600 mètres par seconde pour une puissance de 15 gigawatts. En comparaison, le même projectile à poudre ne dépasserait pas 1800 mètres par seconde. Vous trouverez une description de ce canon électrique à : tinyurl.com/3ce32s.

7. D'après la théologie musulmane, les noms de Dieu – la représentation orale de Ses attributs – sont au nombre de quatre mille. Mille d'entre eux sont connus de Dieu uniquement ; mille par les anges ; mille par les prophètes ; et enfin, mille par les croyants. On trouvera une liste des 99 noms de Dieu mentionnés dans le Coran à : fr.wikipedia.org/wiki/Attributs_de_Dieu_en_islam. Un mystique musulman disait : « Cherchez les traces de ces attributs de Dieu dans les cieux, sur la Terre et dans ce qui est beau en vous. »

Mario Tessier travaille à la Bibliothèque de Laval. Il a écrit dans des revues scientifiques (**Astronomie-Québec**, **Québec-Science**) et collabore au site **Science ! On blogue** (http://blogue.sciencepresse.info/culture) de l'Agence Science-Presse. C'est aussi un invité régulier de **Solaris**, où il a publié, outre ses articles, des fictions remarquées, comme « Du clonage considéré comme un des beaux-arts », Prix Solaris 2003 (n° 146), « Poussière de diamant » (n° 151) et « Le Regard du trilobite » (n° 159).

par **Pascale RAUD**

En raison de sa périodicité trimestrielle, de sa formule et de son nombre restreint de collaborateurs, la revue **Solaris** ne peut couvrir l'ensemble de la production de romans SF, fantastique et fantasy. Cette rubrique propose donc de présenter un pourcentage non négligeable des livres disponibles en librairie au moment de la parution du numéro. Il ne s'agit pas ici de recensions critiques, mais strictement d'informations basées sur les communiqués de presse, les 4es de couverture, les articles consultés, etc. C'est pourquoi l'indication du genre (FA: fantastique; FY: fantasy; SF: science-fiction; HY: plusieurs genres) doit être considérée pour ce qu'elle est, c'est-à-dire une simple indication préliminaire! Enfin, il est utile de préciser que ne sont pas présentés ici les livres dont nous traitons dans nos articles et rubriques critiques. La mention (R) indique une réédition.

Poul ANDERSON
(SF) **Chevalier de l'empire terrien**
Nantes, L'Atalante (La dentelle du cygne), 2008, 491 p.

Contient deux romans de la série « Flandry »: dans le premier, notre héros a seulement vingt ans. Dans le deuxième, il a cinquante ans et est capitaine.

Kelley ARMSTRONG
(FA) **Capture**
Paris, Bragelonne (L'Ombre), 2008, 471 p.

Elena est la seule femme loup-garou existante: lorsque des scientifiques apprennent son existence, elle ne peut compter que sur la Meute pour la protéger.

Jacques BARBERI
(SF) **Narcose** (avec 1 CD audio)
Clamart, La Volte, 2008, 380 p.

L'auteur a réécrit son célèbre roman **Narcose**, triptyque halluciné et délirant que publiera intégralement La Volte.

Jacques BARBERI
(HY) L'Homme qui parlait aux araignées
Clamart, La Volte, 2008, 380 p.

Recueil de 21 nouvelles punko-psychédéliques, où obsessions, psychoses, métamorphoses et noirceur se côtoient.

Toby BARLOW
(FA) Crocs
Paris, Grasset, 2008, 374 p.

À Los Angeles, quand la guerre des gangs éclate et devient incontrôlable, personne ne peut arrêter les hommes qui descendent d'une ancienne race de loup-garou et se métamorphosent en chiens sanguinaires. Le carnage peut commencer.

Stephen BAXTER
(SF) Les Enfants de la destinée T.3 : Transcendance
Paris, Presses de la Cité, 2008, 549 p.

Dernier volet de la trilogie. En 2047, Michael Poole est hanté par le fantôme de sa femme. Comment pourrait-il se douter qu'il s'agit en fait d'Alia, une Transcendante post-humaine envoyée du futur pour le guider ?

Stephen BAXTER
(SF) Les Univers multiples T.3 : Origine
Paris, Fleuve Noir (Rendez-vous ailleurs), 2008, 570 p.

Reid Malenfant part en mission vers un anneau bleu apparu dans le ciel, et par lequel sa femme Emma a disparu. La Lune a été remplacée par une petite planète rouge, et Reid pense que l'anneau mène vers cette planète.

Nicolas BLANCHETTE
(FY) L'Ère du cauchemar
Varennes, AdA, 2008, 360 p.

Redscen, jeune recrue de la guilde des assassins, prend soudainement le pouvoir grâce à un ancien grimoire. Le capitaine Brecd et deux de ses soldats devront lutter pour arrêter le tyran.

Ben BOVA
(R) (SF) Vénus
Paris, Pocket (SF), 2008, 473 p.

Leigh BRACKETT
(SF) Le Grand Livre de Mars
Paris, Le Belial', 2008, 655 p.

Réunis dans un même ouvrage les nouvelles traductions de **L'Épée de Riannon**, **Le Secret de Sinharat**, **Le Peuple du talisman** et **Les Terriens arrivent**. D'une auteure qui a influencé bien des écrivains, dont Moorcock.

David BRIN
(R) (SF) Jusqu'au cœur du soleil
Paris, Folio SF, 2008, 480 p.

Steven BRUST
(R) (FY) Les Aventures de Vlad Taltos T.2 : Yendi
Paris, Folio SF, 2008, 322 p.

Campbell BLACK, James KAHN et Rob MACGREGOR
(FA) **Les Aventures d'Indiana Jones**
Paris, Bragelonne, 2008, 541 p.

Intégrale des romans inspirés de la célèbre trilogie des aventures d'Indiana Jones au cinéma : **Les Aventuriers de l'arche perdue**, **Le Temple maudit** et **La Dernière Croisade**.

Orson Scott CARD
(SF) **Trahison**
Nantes, L'Atalante (La dentelle du cygne), 2008, 313 p.

En 1988, à l'occasion d'une réédition, l'auteur avait réécrit son deuxième roman, publié à l'origine sous le titre **Une planète nommée trahison**. C'est cette nouvelle version qui est proposée ici.

David B. COE
(FY) **La Couronne des 7 royaumes T.9 : L'Alliance sacrée**
Paris, Pygmalion, 2008, 291 p.

Neuvième tome de la grande sage de fantasy, devenue un incontournable du genre.

Glen COOK
(FY) **La Compagnie Noire : Les Livres de la pierre scintillante T.2**
Nantes, L'Atalante (La dentelle du cygne), 2008, 1211 p.

Quatrième volume, qui clôt les Annales de la Compagnie Noire : comprend les neuvième et dixième livres, **L'Eau dort** et **Soldats de pierre**.

Glen COOK
(R) (FY) **Garrett, détective privé T.1 : La Belle aux bleus d'argent**
Paris, J'ai Lu (Fantasy), 2008, 282 p.

Thierry DI ROLLO
(R) (SF) **Meddik**
Paris, Folio SF, 2008, 284 p.

Cory DOCTOROW
(SF) **Dans la dèche au Royaume Enchanté**
Paris, Folio SF, 2008, 229 p.

Fin du XXIe siècle. Dans un monde où la mort a été vaincue grâce à un système de sauvegarde et où l'argent a été remplacé par une unité de mesure qui évalue votre réputation, Julius, fringuant jeune homme de 150 ans, se fait assassiner. Il s'en remet bien, mais le rêve utopiste prend fin alors qu'il cherche sans relâche son meurtrier.

Sara DOUGLASS
(R) (FY) **La Trilogie d'Axis T.1 : Tranchant d'acier**
Paris, Milady, 2008, 696 p.

David DRAKE
(FY) **Le Seigneur des Isles T.1**
Paris, Milady, 2008, 571 p.

Le royaume des Isles est de nouveau menacé par le chaos. Au centre du conflit, le jeune Garric qui a sauvé la vie d'une femme qui se dit magicienne.

Dave DUNCAN
(R) (FY) **Les Lames du roi T.3 : Un ciel d'épées**
Paris, Le Livre de Poche, 2008, 667 p.

David EDDINGS
(R) (FY) **Les Rêveurs T.3 : Les Gorges de cristal**
Paris, Pocket (Fantasy), 2008, 536 p.

Steven ERIKSON
(FY) **Le Livre malazéen des glorieux défunts T.2 : Les Portes de la maison des morts**
Paris, Calmann-Lévy, 2008, 393 p.

Dans le désert de Raraku, la prophétesse Sha'ik s'apprête à entraîner l'Empire malazéen un conflit sanglant, alors qu'elle prépare une Guerre Sainte contre l'occupant annoncé dans le Livre de Dryjhna.

Mélanie FAZI
(FA) **Serpentine**
Paris, Bragelonne (L'Ombre), 2008, 317 p.

Recueil de dix nouvelles où le fantastique éclôt dans les recoins sombres des lieux les plus familiers et rassurants.

Mélanie FAZI
(FY) **Notre-Dame-aux-Écailles**
Paris, Bragelonne (L'Ombre), 2008, 313 p.

Recueil de nouvelles par une des voix féminines importantes de la littérature fantastique française.

Jean-Louis FETJAINE
(FA) **Les Chroniques des elfes T.1 : Lliane**
Paris, Fleuve Noir (Rendez-vous ailleurs), 2008, 264 p.

Premier tome de la série, qui revient sur les origines de la **Trilogie des elfes**.

Élise FONTENAILLE
(R) (SF) **Unica**
Paris, Le Livre de Poche (Science-Fiction), 2008, 158 p.

L'auteure a remporté avec **Unica** le Nouveau Grand Prix de la science-fiction française en 2008.

Neil GAIMAN
(R) (FY) **Anansi boys**
Paris, J'ai Lu, 2008, 381 p.

David GEMMEL
(R) (FY) **Légende**
Paris, Bragelonne (Milady Poche), 2008, 511 p.

Simon R. GREEN
(FY) **Les Aventures de Hawk et Fisher, l'Intégrale T.1 : Les Épées de Haven**
Paris, Bragelonne, 2007, 596 p.

Réunit les trois premières aventures de nos deux héros : **Hawk & Fisher**, **Les Jeux sont faits** et **Le Tueur de Dieux**.

Pierre GRIMBERT
(FA) **Le Saigneur des loups**
Paris, Baleine (Club Van Helsing), 2008, 203 p.

Hugo Van Helsing s'apprête à relâcher un énorme lycan-
thrope, une bête – autrefois homme – qui est la seule à
pouvoir affronter l'incarnation du dieu-loup nordique Fenrir.

Pierre GRIMBERT
(R) (FY) **Les Enfants de Ji T.3 : La Voix des aînés**
Paris, J'ai Lu (Fantasy), 2008, 279 p.

Elizabeth HAYDON
(FY) **La Symphonie des siècles T.3 : Destiny, première
      partie**
Paris, Pygmalion, 2008, 417 p.

Destiny fait suite à **Prophecy** et **Rhapsody**, qui forment
ensemble la **Symphonie des siècles**, grande saga de fantasy au succès mondial.

Marcus HEITZ
(FY) **Les Nains T.1 : Le Passage de pierre**
Paris, Milady, 2008, 401 p.

Le jeune Nain Tugdil est envoyé en mission par le Mage
Lot-Ionan afin de combattre les Orcs et les Ogres, qui
ont envahi le Pays Sûr après que le passage de Pierre se soit
effondré.

Peter F. HAMILTON
(R) (SF) **L'Étoile de Pandore T.1 : Pandore abusée**
Paris, Bragelonne (Milady), 2008, 700 p.

Robert A. HEINLEIN
(R) (SF) **Citoyen de la galaxie**
Rennes, Terre de brume (Poussière d'étoiles), 2008, 318 p.

Brian HERBERT & Kevin J. ANDERSON
(R) (SF) **Dune, la genèse T.2 : Le Jihad butlérien**
Paris, Pocket (SF), 2008, 861 p.

James A. HETLEY
(R) (FY) **Le Royaume de l'été**
Paris, Folio SF, 2008, 501 p.

Robin HOBB
(R) (FY) **Le Soldat chamane T.2 : Le Cavalier rêveur**
Paris, J'ai Lu (Fantasy), 2008, 376 p.

Robin HOBB
(FY) **Le Soldat chamane T.4 : La Magie de la peur**
Paris, Pygmalion (Fantasy), 2008, 314 p.

Jamère, désavoué par son père qui refuse son obésité, décide de s'engager comme simple soldat à Guetis.

Robin HOBB
(R) (FY) **Les Aventuriers de la mer T.8 : Ombres et
      Flammes**
Paris, J'ai Lu (Fantasy), 2008, 377 p.

J. V. JONES
(FY) La Ronce d'Or T.1 : Les Motifs de l'ombre
Paris, Calmann-Lévy, 2008, 347 p.

En mettant à son doigt une étrange bague faite de fils bar-
belés, Tessa se retrouve projetée dans un autre monde, à
Bay'Zell, où le cruel roi Izgard de Garizon prépare une
guerre de conquête.

Hervé JUBERT
(R) (FY) La Trilogie Morgenstern T.3 : Sabbat samba
Paris, Points (Fantasy), 2008, 438 p.

Greg KEYES
**(R) (FY) Les Royaumes d'épines et d'os T.3 : Le Che-
valier de sang**
Paris, Pocket (Fantasy), 2008, 700 p.

Gary KILWORTH
**(R) (FY) Les Rois navigateurs T.1 : Le Manteau des
étoiles**
Paris, Le Livre de Poche, 2008, 561 p.

Dean KOONTZ
(R) (FA) Le Visage de l'ange
Paris, Le Livre de Poche, 2008, 729 p.

Francis LACASSIN
(FA) Vampires
Paris, Bartillat, 2008, 462 p.

Anthologie qui réunit des textes de grands auteurs – tels
Hoffmann, Dumas, Tolstoï, Rice ou Stoker – sur le thème
de ces créatures de la nuit.

George LANGELAAN
(R) (FA) La Mouche, suivi de **Temps mort**
Paris, Flammarion (GF), 2008, 153 p.

Monique LAROCHE
(FA) Jordane, un coffre mystérieux en héritage
Montréal, La Semaine, 2008.

Jordane est une jeune fille qui possède un don : celui-ci lui
permet d'être l'intermédiaire entre le monde des vivants
et celui des morts.

Ursula LE GUIN
(R) (FY) Contes de Terremer
Paris, Le Livre de Poche (Science-fiction), 2008, 440 p.

C.S. LEWIS
(R) (SF) La Trilogie cosmique T.2 : Perelandra
Paris, Folio SF, 2008, 353 p.

Megan LINDHOLM (alias Robin HOBB)
(R) (FY) Ki et Vandien T.3 : La Porte de Limbreth
Paris, J'ai Lu (Fantasy), 2008, 379 p.

Megan LINDHOLM (alias Robin HOBB)
(R) (SF) **Alien Earth**
Paris, Le Livre de Poche (Science-fiction), 2008, 542 p.

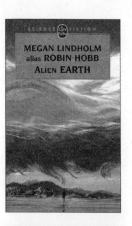

Kelly LINK
(HY) **La Jeune Détective, et autres histoires étranges**
Paris, Denoël (Lunes d'encre), 2008, 375 p.
Recueil de nouvelles explorant tour à tour le fantastique, la
science-fiction ou l'horreur. Par une auteure qui a remporté
de nombreux prix (dont le Nebula, le Hugo ou encore le
World Fantasy Award) pour ses nouvelles.

Marjorie M. LIU
(FA) **La Cité sanglante T.2 : Les Chasseurs d'ombres**
Paris, J'ai Lu, 2008, 320 p.
À Crimson City, les tensions entre les loups-garous et les
vampires sont plus fortes que jamais. Keeli la louve et
Michael le vampire vont enquêter ensemble sur un tueur
en série éventreur de vampires.

Marjorie M. LIU
(FA) **Mémoire volée**
Paris, J'ai Lu, 2008, 382 p.
À cause de ses dons qui lui permettent de lire les pensées
de personnes qu'il touche, Artur Loginov est kidnappé par
le Consortium, qui le retient prisonnier dans une clinique
avec d'autres êtres possédant des pouvoirs paranormaux.

Henri LOEVENBRUCK
(R) (FY) **Gallica T.2 : La Voix des brumes**
Paris, J'ai Lu, 2008, 379 p.

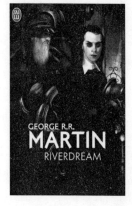

Henri LOEVENBRUCK
(FY) **Gallica, l'intégrale de la trilogie**
Paris, Bragelonne, 2008, 946 p.

Rob MAC GREGOR
(FA) **Les Aventures d'Indiana Jones T.1 : Indiana
       Jones et le péril à Delphes**
(FA) **Les Aventures d'Indiana Jones T.2 : Indiana
       Jones et la danse des géants**
Paris, Milady Poche, 2008, 283 et 285 p.
Premier et deuxième tomes d'une série de douze, qui
mettent en scène le célèbre archéologue aventurier.

George R. R. MARTIN
(R) (FY) **Riverdream**
Paris, J'ai Lu, 2008, 506 p.

George R. R. MARTIN
(FY) **Le Chevalier errant**, suivi de **L'Épée lige : Préludes
       au Trône de fer**
Paris, Pygmalion (Fantasy), 2008, 269 p.
Le chevalier errant n'a d'autre ligne de conduite que celle de
l'honneur et loue ses services aux plus nobles causes. Dunk,
autrefois l'écuyer du chevalier Ser Arlan de Pennytree, a
maintenant comme écuyer le jeune Œuf : ils se mettent au
service d'un seigneur qui sera bien difficile à sauver.

Graham MASTERTON
(R) (FA) **Le Diable en gris**
Paris, Milady, 2008, 377 p.

Xavier MAUMÉJEAN
(R) (FY) **Le Cycle de Kraven T.2 : L'Ère du dragon**
Paris, Points (Fantasy), 2008, 466 p.

Paul McAULEY
(SF) **Une invasion martienne**
Paris, Robert Laffont (Ailleurs et Demain), 2008, 468 p.

Un organisme vivant – une espèce de bactérie préhisto-
rique – trouvé au pôle Nord de la planète Mars est ramené
sur Terre et se répand accidentellement dans l'océan
Pacifique, entraînant la prolifération dangereuse d'une
algue qui met en danger l'équilibre des océans.

Sean MCMULLEN
(FY) **Les Chroniques de Verral T.1 : Le Voyage de
      l'Ombrelune**
Paris, J'ai Lu (Grand Format), 2008, 573 p.

Warsovran, un empereur mégalomane sanguinaire, cherche
à s'emparer de Mort-Argent, une arme magique très puissante. Il n'est pas le seul à vouloir s'en emparer, y compris
les partisans de la paix qui cherchent à la soustraire des
mauvaises mains.

L. E. MODESITT
(R) (FY) **Le Monde de Recluce T.2 : L'Empereur
          d'Harmor**
Paris, Pocket (Fantasy), 2008, 500 p.

Linda NAGATA
(SF) **Aux marges de la vision**
Paris, Bragelonne (SF), 2008, 398 p.

Une nanotechnologie illégale du nom de « LOV » a été
mise au point dans un laboratoire ultrasecret, causant la
mort d'une scientifique. C'est le début d'une lutte acharnée
pour contrôler la création.

Pierre PELOT
(FA) **Outback**
Paris, Baleine (Club Van Helsing), 2008, 231 p.

Cran, un aborigène australien, s'enfonce dans le bush, où
il va malgré lui rétablir l'équilibre du monde.

Terry PRATCHETT
(FY) **Les Annales du disque-monde T.30 : Timbré**
Nantes, L'Atalante (La dentelle du cygne), 2008, 473 p.

Moite von Lipwig, arnaqueur professionnel, a le choix : être
pendu haut et court ou bien accepter le travail de ministre
des postes afin de remettre sur pied le service postal
d'Ankh-Morpork. Dur, dur…

Terry PRATCHETT
(R) (FY) **Le Grand Livre des gnomes**
Paris, J'ai Lu, 2008, 509 p.

Christopher PRIEST
(R) (SF) **La Séparation**
Paris, Folio SF, 2008, 485 p.

Adam ROBERTS
(SF) **Gradisil**
Paris, Bragelonne (SF), 2008, 567 p.

Dans un futur proche où il est possible de se faire construire
de petites résidences secondaires dans l'espace, loin de
toutes les lois gouvernementales, tout paraît plus simple.
Mais les États-Unis commencent à vouloir prendre le contrôle de ce nouvel espace de vie.

Keith ROBERTS
(R) (SF) **Pavane**
Paris, Le Livre de Poche (Science-fiction), 2008, 370 p.

James ROLLINS
(FA) **Indiana Jones et le royaume du crâne de cristal**
Paris, Bragelonne, 2008, 350 p.

Novellisation du quatrième film des aventures du célèbre
archéologue.

R.A. SALVATORE
(FY) **La Légende de Drizzt T.1 : Terre natale**
Paris, Milady (Royaumes Oubliés), 2008, 375 p.

Drizzt est un elfe noir qui ne veut pas devenir un assassin
à la solde de sa maison. Il parvient à masquer sa différence,
mais jusqu'à quand pourra vivre dans un système où seul
la guerre et le meurtre ont leur place ?

Scott SMITH
(R) (FA) **Les Ruines**
Paris, Le Livre de Poche, 2008, 475 p.

Craig SPECTOR
(FA) **Underground**
Paris, Bragelonne (L'Ombre), 2008, 331 p.

Plusieurs amis doivent revenir à Custis Manor – une ancienne plantation sudiste hantée par des forces obscures –
près de vingt ans après des événements tragiques qui ont
à jamais changé le cours de leur vie.

Mary STEWART
(R) (FY) **Le Cycle de Merlin T.2 : Les Collines aux
mille grottes**
Paris, Le Livre de Poche, 2008, 617 p.

Yoshiki TANAKA
(FY) **Les Chroniques d'Arslân T.1**
Paris, Calmann-Lévy/Kaze, 2008, 355 p.

Arslân, jeune héritier du royaume de Parse dont la capitale
Ecbatâna a été détruite, a été contraint de fuir l'envahisseur
lusitanien. Il devra lutter pour conquérir le trône et amener
la paix dans le royaume. Premier tome d'une série de fantasy japonaise, inspirée des légendes moyen-orientales.

Margaret WEIS et Tracy HICKMAN
(FY) **Chroniques de Dragonlance T.1 : Dragons d'un
    crépuscule d'automne**
Paris, Milady (Dragonlance), 2008, 446 p.

Premier tome de la trilogie fondatrice **Dragonlance**, pour
la première fois dans sa version intégrale en français.

Thomas WHARTON
(HY) **Logogryphe**
Québec, Alto, 2008, 194 p.

Un jeune homme découvre une vaste demeure aux pièces
tapissées de livres. Commence alors un voyage étrange,
véritable quête d'un bibliophile à la recherche du livre idéal.

Robert Charles WILSON
(R) (SF) **Ange mémoire**
Paris, Folio SF, 2008, 320 p.

John Charles WRIGHT
(R) (SF) **Le Phénix exultant : Dépossédé en Utopie**
Paris, Le Livre de Poche (Science-fiction), 2008, 444 p.

 Les Littéranautes

Jean-Pierre APRIL
Mon père a tué la Terre
Montréal, XYZ (Romanichels), 2007, 155 p.

Ce n'est pas le premier livre de J.-P. April qui soulève des problèmes de classification ; ce qui n'étonnera pas les lecteurs qui ont suivi le parcours de cet écrivain, sans doute le plus hétérodoxe de la petite histoire de la SF québécoise. La première question qu'on peut se poser, c'est s'il s'agit bien d'un livre de SF ? C'est vrai qu'on y retrouve sous forme remaniée quatre nouvelles de SF publiées par April entre 1978 et 1984 (dans **Solaris**, entre autres). Pourtant, ce n'est pas vraiment un recueil de nouvelles puisque ces textes, qui constituent moins de la moitié du livre de toute façon, sont des éléments objectifs intégrés à une histoire qui ne possède aucun élément de SF ou de fantastique. Elles sont présentées au jeune narrateur du livre, Jimi Aprili, par son père, un écrivain de science-fiction en proie au doute sur la validité de sa création, et dont le couple ne va pas trop fort non plus.

Autrement dit, même si on *parle* d'écriture et de science-fiction dans ce livre, **Mon père a tué la Terre** est bel et bien un roman de littérature générale, voire même d'autofiction. Non seulement l'auteur fait partie des personnages, mais il est difficile de croire que c'est le fils qui parle, tant le style évoque une certaine littérature québécoise de la fin du siècle dernier, truffée d'allitérations, de mots-valises et autres fantaisies lexicales – autrement dit, c'est bel et bien April qui écrit, avec sa verve imaginative habituelle.

Ceci étant établi – je suppose que cet aveu ne surprendra pas de la part du rédacteur en chef de **Solaris** –, j'aurais préféré qu'il y eût plus de science et moins d'auto dans cette fiction. Les opinions de Jimi Aprili sur la mondialisation, les attentats du 11 septembre 2001 ou le divorce de ses parents ne m'ont pas particulièrement frappé ; et, tout bien pesé, mon meilleur souvenir de lecture après avoir déposé ce livre a été la redécouverte de deux nouvelles à la fois tendres et sardoniques, « Les Orphelins de Hoï Tri » et « Angel », qui nous rappellent que la voix d'April a été personnelle et unique dès le début. Ce court roman m'a donné le goût d'aller relire les recueils d'April, comme **Télétotalité**, en encore mieux, **Chocs baroques** qui est encore disponible dans la collection de la Bibliothèque québécoise. Si ça pouvait inciter de nouveaux lecteurs d'April à faire de même – surtout ceux qui n'étaient pas en âge de lire à l'époque !

– cela pourrait être une réponse aux questions existentielles du père de Jimi Aprili…

Joël CHAMPETIER

Jonathan REYNOLDS
La Légende de McNeil
Drummondville, Les Six brumes, 2008, 97 p.

Fondée en 2001 par Jonathan Reynolds et Marki Saint-Germain, la petite maison d'édition sherbrookoise Les Six brumes publie, dans sa collection « Nova », des novellas de fantasy, d'horreur et de fantastique sous forme de petits livres dont le format – fort attrayant – n'est pas sans rappeler celui des classiques publiés par l'éditeur français Les Mille et une nuits. Reynolds y a récemment lancé **La Légende de McNeil**, son troisième livre à titre d'auteur, un récit fantastique qui nous entraîne dans les recoins les plus sombres de l'Estrie.

Tourmentée par le comportement singulier et les récentes interrogations de sa fille Élisabeth, Marie, une jeune libraire, est hantée par son passé. Une étrange lueur verdâtre dans le regard de son enfant a ravivé en elle de vieilles afflictions reliées aux événements atroces qui se sont déroulés dix ans plus tôt, à Brompton, alors qu'elle campait avec des amis. Johnny, un ténébreux jeune homme qui lui plaisait beaucoup, les avait entraînés sur les terres abandonnées du vieil Henry McNeil et leur avait raconté la légende entourant ce mystérieux fermier. On disait de McNeil qu'il pratiquait la magie noire sur ses bêtes ainsi que sur les enfants du canton. Des villageois auraient d'ailleurs retrouvé, dans un bois environnant, les cadavres de nombreux bambins portés disparus depuis des lustres. Bien malgré eux, Marie et ses amis s'étaient aussitôt trouvés mêlés à la légende de McNeil, poursuivis par un brouillard vert et par une bête immonde aux traits indéfinissables.

Une fissure dans les profondeurs de la terre avait enfanté l'horreur. Quels liens Johnny entretenait-il avec la légende du vieux McNeil ?

Cette novella fantastique de Jonathan Reynolds est fort bien menée et s'avère – somme toute – plutôt efficace. La constante alternance entre le présent et le passé de Marie participe du suspense en plus de conférer à **La Légende de McNeil** un rythme qui lui sied à merveille. Seule ombre au tableau : le livre comporte quelques erreurs de composition. Le dernier mot d'une ligne, par exemple, est souvent répété au début de la ligne suivante. Soulignons toutefois que ces quelques étourderies, bien pardonnables chez un jeune éditeur, n'enlèvent en rien à la qualité du récit de Reynolds. En terminant, il est à noter que les titres de la collection « Nova » ne sont disponibles – pour l'instant – que dans les salons du livre ou par commande postale via le site Internet des Six Brumes (www.6brumes.com). Comme il n'en coûte que cinq dollars pour mettre la main sur **La Légende de McNeil**, il ne fait nul doute que les amateurs de fantastique se plairont à découvrir cet auteur de la relève qui a déjà deux romans à son actif, publiés chez le même éditeur (**Ombres**, en 2002, et **Nocturne**, en 2005).

François MARTIN

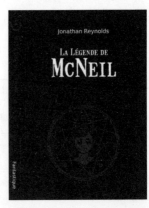

Philippe Cavalier
Les Anges de Palerme
(Le Siècle des Chimères -3)
La Dame de Toscane
(Le Siècle des Chimères -4)
Paris, Anne Carrière, 2006 et 2008,
458 et 730 p.

Après avoir dû patienter pendant un peu plus d'un an et demi entre le troisième et le quatrième volume, nous voici donc avec en main la totalité de la saga du *Siècle des Chimères*. L'épaisseur impressionnante du dernier tome, **La Dame de Toscane**, explique sans doute qu'il ne soit pas sorti en 2007 comme prévu... Mais l'attente en valait la peine.

Les deux derniers volumes de cette série mêlant aventures, thriller et fantastique dans la première moitié du XXe siècle (avec de longs flash-backs historiques) sont à la hauteur des espérances issues de leurs prédécesseurs. La chasse aux démons dévoreurs d'enfants que sont Laüme et Dalibor Galjero par une bande de justiciers qui, quelquefois, leur disputent presque en étrangeté, se poursuit ici avec le même train d'enfer que celui qui avait emporté les deux premiers romans. Et cette cadence diabolique est encore amplifiée par l'époque terrible et tourmentée dans laquelle se déroule l'essentiel de la saga.

Chacun des livres tourne autour d'un personnage principal, mais pas forcément en suivant un ordre chronologique d'apparition. Car ici les lignes de scénario s'entremêlent dans une sarabande qui donne bien souvent au passé l'occasion de prendre le dessus sur le présent de l'histoire. Dans les deux premiers tomes, c'étaient David Tewp puis Thorwald Gärensen qui tenaient à tour de rôle la vedette. Le troisième, **Les Anges de Palerme**, tourne, lui, autour de Luigi Monti, un Sicilien marqué par la haine et émigré en Amérique. Devenu Lewis Monti en arrivant à New York et après avoir échappé à la chaise électrique et touché d'un peu trop près les forces occultes, il finira parrain de la Mafia avant de basculer de l'autre côté en devenant... sénateur des États-Unis ! Un autre chasseur bizarre et attachant aux trousses de notre couple de démons...

Des démons qui dominent d'un bout à l'autre le dernier volume, comme si

Philippe Cavalier avait voulu leur réserver enfin la place de choix au moment où l'histoire se dirige inexorablement vers sa chute. Un interrogatoire fleuve (plus de 450 pages en trois parties !) de Dalibor Galjero récupéré par une femme générale des services secrets soviétiques, sorte de Fox Mulder au féminin œuvrant dans l'enfer stalinien d'après-guerre, permet enfin de contempler le mystère de Laüme, la véritable architecte de l'horreur. La « Dame de Toscane » du titre, c'est elle, mais elle n'est ni dame ni de Toscane car c'est un monstre intimement lié, de génération en génération, depuis le XVIᵉ siècle, à la famille de Dalibor Galjero. Avec Laüme, la dépravation et l'inhumanité atteignent des abîmes insondables et Dalibor, en dépit de sa survie contre nature, n'a toujours été qu'une sinistre marionnette entre ses mains. C'est cette histoire hallucinante, violente et crue s'étendant sur quatre siècles et sur plusieurs continents qui constitue le cœur du dernier volet de la tétralogie et dont la conclusion ne manquera pas de surprendre le lecteur.

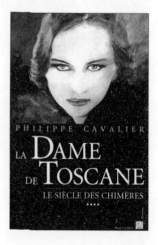

Avec *Le Siècle des Chimères*, Philippe Cavalier a bouleversé à la fois la littérature d'aventure, le roman historique et le thriller surnaturel. Sa saga est un flot puissant qui emporte le lecteur dans des eaux que celui-ci n'avait pas l'habitude de fréquenter : âmes sensibles s'abstenir car la potion est aussi forte qu'elle est fascinante… Ici, on n'est pas dans le best-seller ésotérico-fantastique bon chic bon genre, mais dans la littérature « couillue », si je puis me permettre. Et, bon sang, quel scénario pour des films ou pour une mini-série télévisée à gros budget !

Richard D. NOLANE

Kim Stanley Robinson
Les Quarante signes de la pluie
50° au-dessous de zéro
Paris, Presses de la Cité, 2006 et 2007, 396 et 487 p.

Franck, Anna, Charlie, Diane, Alberto… Ils travaillent à la National Science Fondation à Washington, tous scientifiques, tous convaincus du péril que les changements climatiques font courir à l'humanité. Mais à quoi sert-il de posséder la vérité soutenue par la raison lorsque personne n'écoute, ni le gouvernement, ni le reste du monde ? Il faudra, hélas, des catastrophes encore pires que celles de l'ouragan Katrina pour que leur voix se fasse entendre et que des actions soient entreprises. Mais pour certains, comme pour les citoyens du Kumbalung dont l'île a été engloutie par la montée des eaux, il est déjà trop tard.

Pendant ce temps le fils d'Anna et Charlie est trop turbulent pour être placé en garderie, tandis que Franck, en pleine crise existentielle, vit des

amours compliqués avec l'espionne qui le surveille pour une agence de sécurité nationale. Car la vie continue, même lorsqu'on travaille à sauver la Terre...

J'ai dévoré la superbe trilogie de Kim Stanley Robinson consacrée aux changements climatiques avec un mélange d'admiration et d'effroi. D'admiration d'abord et avant tout face à un roman – car il s'agit bien d'un seul roman séparé en trois parties, dont la conclusion paraîtra bientôt sous le titre de **Soixante jours et après** –, face à un roman, dis-je, aussi bien documenté, riche, intelligent et bien écrit. Je ne me souviens pas d'avoir lu un livre mettant en scène une galerie de scientifiques aussi crédibles, complexes et attachants. On pourrait supposer que c'est parce que Robinson connaît de nombreux scientifiques qu'il arrive à en tracer un portrait aussi juste, mais les écrivains de SF qui fréquentent les milieux scientifiques ne sont pas rares, quand ils ne sont pas des scientifiques eux-mêmes. Non, ce qui se passe, c'est que Robinson est un *écrivain*; et le livre m'a

autant enthousiasmé pour son écriture et sa peinture des personnages que pour les idées qui y sont contenues.

Ce qui ne veut surtout pas dire que le contenu est négligeable. Ce n'est pas le premier livre de SF qui peint une Terre future en proie aux changements climatiques catastrophiques, mais ce que j'ai trouvé effrayant chez Robinson, c'est de ressentir qu'il n'a jamais cherché à noircir le trait, ce qui serait pourtant de bonne guerre dans un roman de science-fiction destiné à éveiller les consciences. On a l'impression au contraire qu'il s'est retenu, que ce qu'il met en scène est la vision *optimiste*. Et ça, ça fait peur.

Il arrive que des amateurs ou des auteurs de science-fiction déclarent que ce genre littéraire est le plus important de la littérature contemporaine, voire même le seul qui ait de l'importance. Ces excès de ferveur prosélyte ont tendance à m'agacer, car ils contribuent à parfaire l'image d'hurluberlu qui est associée dans la conscience populaire aux amateurs de SF.

Or, je suis prêt à courir ce risque cette fois, car c'est la seule chose qui me vient à l'esprit en rédigeant ces lignes, quitte à passer pour un hurluberlu. Quand elle est à son meilleur, c'est-à-dire lorsque la rigueur dans l'invention et la spéculation se déploient dans une œuvre littéraire de grande qualité, tout cela pour aborder des considérations qui touchent l'ensemble de l'humanité – ce qui est certainement le cas avec la trilogie de Robinson –, la science-fiction *est* la littérature la plus importante de notre temps.

Joël CHAMPETIER

Sean Williams
Reconstitué
Paris, Bragelonne, 2007, 477 p.

Science-fiction et fiction policière ont souvent fait bon ménage, et la tradition ne montre aucun signe d'essoufflement. Des œuvres comme **Reconstitué** de Sean Williams s'inscrivent bien dans la lignée des récits de Richard Morgan et (jadis) d'Isaac Asimov, imaginant des aventures SF dans lesquelles les innovations technologiques permettent des crimes de plus en plus inusités.

Car c'est dans un univers de téléportation et d'intelligence artificielle que se déroule **Reconstitué**, alors qu'un mystérieux tueur en série s'attaque à des victimes en interceptant l'information envoyée d'une station de dématérialisation à une autre. Alors que la « victime » continue de vaquer à ses occupations, une copie identique est torturée et tuée. Mais qu'est-ce qu'un « original » et une « copie » quand, de toute façon, le corps transmis est annihilé à la station d'envoi et recréé à la réception ?

Williams s'empresse de compliquer les choses. Le principal suspect est retrouvé, affligé d'un blanc de mémoire

couvrant les trois années de sa disparition. S'il n'est pas le meurtrier, est-ce qu'une copie serait coupable ? Un père disparu, une ex-compagne, une intelligence artificielle et des tensions politiques entre les anti-dématérialisateurs et le reste du monde contribuent à faire monter la tension. Si vous pensez que les vols d'identité sont un problème maintenant, attendez le jour où l'expression sera à prendre au pied de la lettre !

Le moins qu'on puisse dire, c'est que Bragelonne continue d'avoir du flair pour débusquer des œuvres de SF anglophones parfois passées inaperçues même dans leur langue d'origine. Sous son titre originel, **The Resurrected Man** a beau avoir été republiée en 2005 aux États-Unis par Pyr, le roman est d'abord paru en Australie en 1998 grâce aux soins de HarperCollins Australia. La bonne nouvelle, c'est que le roman n'a pas vieilli : on y retrouve même des échos d'œuvres qui ont suivi tels les romans de Joel Shepherd et d'Ian McDonald. La profondeur du monde représenté par Williams est convaincante, et le roman sait aller au-delà des évidences pour poser les questions pertinentes. Un auteur moins confiant aurait pu attendre avant de soulever la possibilité qu'une copie du protagoniste soit coupable ; ici, Williams aborde de front la question alors que le livre est à peine entamé.

On ne voudrait pas non plus passer sous silence la présentation rafraîchissante d'un monde multiculturel post-Américain. Peut-être cela vient-il plus naturellement sous la plume d'un auteur qui habite l'hémisphère sud, mais l'action se passe partout sauf aux États-Unis traditionnels et l'argot employé

dans le livre ignore joyeusement toutes les frontières. (La traduction de Pascal Huot se débrouille d'ailleurs passablement bien pour reproduire une prose lourde en néologismes et en argot polyglotte.) Les lecteurs canadiens seront particulièrement amusés de voir que dans ce futur, un Québec indépendant fait figure de paria attardé en refusant la technologie de dématérialisation, une décision compliquant passablement les choses lorsque l'enquête se déplace dans la Belle Province. Cela mène à des phrases uniques telles « Ils se d-matteraient directement à Ottawa, à la frontière entre les États-Unis et le Québec… » (p. 239), et disons que c'est dans ce passage que le roman de Williams accuse légèrement son âge puisqu'il est question de Hull plutôt que de Gatineau…

Mais peu importent les détails. Ce qui prime, c'est l'heureuse cohabitation des idées et de l'action, le rythme de l'enquête supportant bien la révélation progressive des suppositions de Williams au sujet de la dématérialisation. Certains raccourcis dramatiques font sourciller (à commencer par une attitude cavalière devant une fluctuation de masse/énergie qui aurait de quoi faire bondir n'importe quel vérificateur), mais les pages se tournent d'elles-mêmes. S'il y a une critique plus sévère à faire, c'est que Williams écrit un peu trop et que le deuxième acte de ce thriller aurait eu intérêt à être resserré. On pourrait aussi déplorer que, comme dans les autres romans de Williams, l'intrigue n'arrive pas à exploiter toutes les possibilités du décor. Mais il s'agit là de peccadilles qui équivalent au fait de se plaindre qu'un bon livre parce qu'il n'est pas un *très* bon livre.

En matière de SF *high-tech* dopé à l'enquête musclée, **Reconstitué** remplit parfaitement ses objectifs et saura satisfaire le lecteur à la recherche de ce type de sensations. Vive le néo-noir SF !

Christian SAUVÉ

Stephen King / Richard Bachman
Blaze
Paris, Albin Michel, 2008, 328 p.

Qui ne connaît Richard Bachman, le défunt pseudonyme de Stephen King ? Le maître incontesté de l'horreur a décidé de « ressusciter » son alter ego, excellent auteur de suspense et polar, le temps de la publication d'un nouveau roman : **Blaze**. Écrit entre 1966 et 1973, ce manuscrit a attendu plus de trente ans avant de voir le jour, environ dix ans après **Les Régulateurs**.

Malgré sa taille impressionnante et sa grande force physique, Blaze n'est pas très futé. Heureusement, son ami Georges prend soin de lui avec ses conseils judicieux et ses plans infaillibles de vols et d'escroqueries. Après tout, il faut de l'argent pour

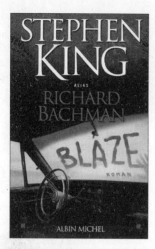

vivre, non? Et bientôt, ils réaliseront LE grand coup, l'ultime, celui qui les rendra riches. Un seul petit problème vient entacher le tableau: Georges est mort.

Dans le même esprit que les autres Bachman, ce thriller relate la descente aux enfers d'un homme abandonné par une société américaine froide et sans compassion. Je me suis attaché rapidement au personnage à cause de son comportement maladroit et de ses pensées d'une telle futilité qu'il m'est apparu impossible de ne pas en rire. Mais Blaze est conscient de ses limites mentales et se questionne souvent à ce sujet, ce qui le rend touchant malgré les actes qu'il commet en suivant les conseils de Georges. La voix de son défunt ami qui le hante ajoute un niveau de complexité au personnage qui rappelle de nombreuses histoires de King (entre autres, « The Lonesome Death of Jordy Verrill », segment de **Creepshow** dans lequel un attardé mental avait constamment des conversations avec son défunt père).

Blaze compte plusieurs retours en arrière. Au fil des souvenirs du personnage, à chaque page lue, un morceau supplémentaire du casse-tête se place, un morceau de plus vers la compréhension totale de l'esprit de Blaze. Ce jeu entre le présent et le passé m'a tenu en haleine jusqu'à la dernière page et j'y ai reconnu, encore une fois, la trace d'anciennes œuvres de King (**Ça**, entre autres). Comme dans la plupart de ses histoires, j'ai relevé quelques références intertextuelles à son univers: deux fois, on mentionne la prison de Shawshank, pour ne nommer que celle-là.

L'intrigue m'a semblé bien construite, mais c'est surtout à cause de son personnage confronté à ses souvenirs et ses tourments que **Blaze** se révèle un polar riche en émotion et une belle surprise de la part de King… ou dois-je dire de Bachman? Vu l'âge de l'auteur et le long intervalle qui sépare chaque publication du pseudonyme de King, doit-on supposer qu'il s'agit là de son dernier ou assisterons-nous à une autre « résurrection » dans les prochaines années?

Jonathan REYNOLDS

Ce cent soixante-huitième numéro de la revue **Solaris**
a été achevé d'imprimer en septembre 2008
sur les presses de Imprimeries Transcontinental inc.,
division Métrolitho.
Imprimé au Canada — Printed in Canada